文史哲學集成

王居恭著

漫談周易

文史哲出版社印行

國立中央圖書館出版品預行編目資料

漫談周易 / 王居恭著. -- 初版. -- 臺北市 :
文史哲, 民81
面 ; 公分. -- (文史哲學集成 ; 247)
ISBN 957-547-018-4 (平裝)

1. 易經 - 批評 , 解釋等

121.17 ○ 81000503

㉗ 文史哲學集成

漫談周易

著者：王居恭
出版者：文史哲出版社
登記證字號：行政院新聞局局版臺業字五三三七號
發行人：彭正雄
發行所：文史哲出版社
印刷者：文史哲出版社
台北市羅斯福路一段七十二巷四號
郵撥〇五一二八八一二彭正雄帳戶
電話：三五一一〇二八
實價新台幣二八〇元
中華民國八十一年一月初版

ISBN 957-547-018-4

漫談周易 目錄

自序

關于《周易》的著作，據《四庫全書總目》統計：「易類一百五十八部，一千七百五十七卷，附錄八部十二卷，皆文淵閣著錄」，又「易類三百十七部，二千三百七十一卷，附錄一部一卷，皆附存目」。加以存書未載者，亡佚散失者，以及後人所著，那就超過此數。《周易》是中國傳統文化的重要典籍。現代人讀《周易》，猶如深山探寶，這本小書正是我學習《周易》的一點心得。

談到寫這本書，純屬偶然性。

我曾經整理我祖父王樹枏著作書目，寫成《陶廬全書書目考》，其中有一部著作是《費氏古易訂文》十二卷。一九六六年文革時，該書書版，連同其他著作書版約二十多種（陶廬全書之三分之一的書版）盡毀。這些書版由我保存，人的感情很怪，原來我並未想到這些書版的可貴，及至書版毀掉後，萬分惋惜。但決不敢「憤憤然」。後來，我有介紹《費氏古易訂文》一書的計劃。

今年一月的某天，我的女兒對我說，她認識一位在中國學醫的外國留學生，問她：「妳能找到講《

易經》的老師嗎？我很想學習中國的《易經》」。我女兒就滿口答應了，這一「差事」就落在我身上。但當時我並未同意，我讓女兒回絕。因爲給外國人講課，言語不同，且學醫的外國留學生，一般來說不大注重數學，《周易》占筮是很精彩的「數論」數學「同餘」概念的應用，這就有一定困難。其二，我抽不出時間。總之，我讓女兒回絕外國留學生：「告訴他，我不會講《易經》」。

現在，孩子不聽大人的話，過了幾天，她竟把外國留學生帶來了。他背了沈甸甸一大包書：有精裝兩厚册的《十三經注疏》，有高亨的《周易古經今注》，有李鏡池的《周易通義》，有唐李鼎祚的《周易集解》。這使我很感動。一個外國人，這樣喜歡中國傳統文化，確實是使我感動的一件事。爲此，我推却不得，只能把我的一點點關于《周易》的知識講給他聽。

我的第一句話就是：「你對《周易》如何看法？」

他說：「人家告訴我，《易經》是算卦的，不要學它」。

我問：「你怎麼回答？」

他說：「我說，那不是算卦的。」

「點睛」之語，又一次使我感動。確實，許多國人都把《周易》當作「算卦」書。《周易》的形成，確是占筮（即算卦），但它與後世的騙術的算卦是兩回事，不能混爲一談。我們不能離開時代之思想背景去談《周易》。它是歷史、是哲學，又包含有數學內容，需要後人去發掘整理。理解古代文化，是爲了現代文化。這樣，我開始給留學生「講課」。講義內容即是本書的初稿。

談到本書特色（假如也有特色的話），大約有以下幾點：

第一、走進琉璃廠的「中國書店」、「古籍書店」、「中華書局」門市部，有關《周易》的書是暢銷書，似乎有一種《周易》熱。周士一，潘啓明的《周易參同契新探》在「中華書局」門市部的售書架上，有十幾本，幾天後再去，都賣完了。所以，我立意寫書，不必雷同；雷同等於浪費讀者時間。學者專家寫過的，我不寫；沒有寫過的，我寫。當然，這也是相對而言，比如寫白糖，誰寫也還是甜的，寫不出鹹味來。

第二、現在我在某大學講「離散數學」。讀到一本參考書《組合學導引》，美B.A.Brualdi著，李盤林、王天明譯。封面有一「九宮圖」，除了給人一種美感外，我感到是編者的卓識與深意。「九宮圖」即是《周易》所記載的「洛書」，而「組合數學」是現代數學的一個重要分支，二者聯繫在一起，深意存焉。翻開世界數學史，無理數的發現爲最早，希臘畢達哥拉斯發現於紀元前六世紀。但是有重要遺漏，產生於紀元前十世紀的中國「九宮圖」沒有提。

一篇有代表性的文章，即馮友蘭《爲什麼中國沒有科學》，這裏是對中國哲學的歷史及其後果的一種解釋。中國古代產生了數學，然而並未向前發展，這是値得探索的題目。

本書寫到「九宮圖」，不過僅是中國古代數學的一個引子。

第三、關於《周易》算卦之論，我強調「神道設教」，算卦是手段，其目的在教化，這一點很明確。我們要有一點中國和世界古史的知識，就能在一定歷史條件、一定歷史背景下，理解《周易》的占筮。從邏輯命題考慮，占筮是必然命題，這一點本書有說明。

第四、《周易》作爲哲理性的書來讀，我體味較深的是「憂患意識」，也即危機感。本書有一節談「憂患」。「履霜，堅冰至」相對「天行健，君子以自強不息」，正是絕妙好意境。

明胡應麟謂明代書百萬卷不能當三代之一；張之洞謂秦以上書一字千金；韓愈自言其爲學之始，非三代兩漢之書不敢觀。余嘉錫說：「治學所以必讀古書者，爲其閱時既久，亡佚日多，其卓然不可磨滅者，必其精神足以自傳，譬之簸出糠粃，獨存精粹也」。《周易》非成於一人之手，也非成於一個時代，千端萬緒，蓋非一途，幸存至今，是一字千金精粹之作。可以考古，證史，觀物情，見風俗；而其哲理性，不可以時代論。其八卦理論，更是時人比較熱中的題目。劉子華先生四十多年前，即是用該理論推測出一顆新的行星的存在。其不足之處，是對天體的觀察不夠。而近來研究八卦，更有新的進展。此書未涉及這一方面的內容。漫說周易，僅是一般介紹，專題論述，以俟他日。

個人淺見，錯誤有之，讀者指教，以片言之賜，皆吾師也，是爲序。

一九八八年七月二十四日

第一章　從算卦談起

算卦，在二千五百多年前，或者更遠一些，是一項很重要的活動。居住在黃河流域的商民，一代代的商王都愛好求神問卜。商王的征伐、封官、打獵、祭祀，都要預先由宮廷卜師卜一卜吉凶。且把預卜的結論，作爲考慮該項活動是否擧行的依據。到了周代，時代前進了，條件改變了，方法隨之也改變。不是卜一卜未來活動的吉凶，而是筮一筮未來活動的吉凶。無論卜或筮，叫做占卜，現代語言統稱算卦。無論卜或筮都有材料記錄下來，保存下來，前者叫卜辭，後者叫筮辭。我們看到這些材料，就可以了解先民們的活動情況，如祭祀、戰爭、生產、商旅、婚姻、水旱、災害、以及服飾、用器等等。展現給我們一幅生活與歷史畫面。中國文化開始較早，但卜辭的時代、筮辭的時代，是中國文化發展的重要里程。

商周的算卦，和後來的算卦不一樣。商周的算卦，有歷史價值和文化價值，這是最本質的理解。

第一節 卜

一

卜，主要在商代，周代卜筮並用。殷墟出土的甲骨文，即是商朝宮廷內部占卜問事所記錄的文辭。所謂甲，是指龜的腹甲和背甲，以腹甲居多；骨是指牛、羊、鹿、猪、等獸骨，主要是牛的肩胛骨。甲骨在占卜之前要經過一定的修治。特別是背甲，要中剖為左右兩半，個別還要削成鞋底形的。加工修治好的甲骨，有固定的形狀。然後在甲骨背面進行鑽鑿。鑽鑿大致可分三種情況：第一種是鑽鑿並用；第二種是只鑽不鑿；第三種是只鑿不鑽。

利用獸骨龜甲進行占卜問卦，來源很早。早在商代以前的龍山文化遺址中，就已發現有占卦用過的卜骨。不過當時所使用的多為羊、豕、牛等獸骨，只有灼而無鑽鑿的痕迹。據目前資料推知，鑽鑿並用乃從商代開始。《荀子・王制篇》云：「鑽龜陳卦」，《韓非子・飾邪篇》云：「鑿龜數筴」，《史記・龜策列傳》云：「必鑽龜廟堂之上」，「卜先以造灼鑽」。上述記述，說明這一套占卜方法，從商代一直延續到漢代。

占卜時，卜者用火燒灼已製好的鑽，插入凹孔，於是聽見輕微的卜卜聲（甲骨裂聲），凹孔周圍裂現一些「卜」字形細紋，這些細紋稱作「兆」或稱「卜兆」。卜師觀察卜兆，便可推斷吉凶。

商代占卜過的甲骨，多數在「兆」的附近有刻辭，內容多爲占卜的時間，占卜者的名字，問事的內容，以及占驗結果等。在同一片龜甲或胛骨上，往往經過若干次占卜。

甲骨刻辭稱作「卜辭」。每一篇完整的卜辭，字數多寡不一，多者將近百字，少的只三、四字，一般在二、三十字左右。唐蘭在《卜辭時代的文學和卜辭文學》一文中，將卜辭內容分作敍事、命辭、占辭、驗辭四個部分：

敍事—記錄占卜的時間和占卜人的名字；

命辭—記錄所占卜的事情；

占辭—即「兆」，示所問事情的吉凶；

驗辭—記錄應驗與結果。

不過並不是每版甲骨的卜辭都具備這四個部分，更多的實例是比較簡化的。

例 1.「壬申卜，㱿貞。畢麋。丙子穽麋。允畢二百出九。」

「壬申卜，㱿貞」是敍事。說明占卜的時間在「壬申」日，從事占卜的人名叫「㱿」，「貞」即占卜的意思。

「畢麋」，爲命辭。即所占卜的事是畋獵狩鹿。

「丙子穽麋」，爲占辭。「兆」示在「丙子」日用穽獵麋會很順利的。

「允畢二百出九」，爲驗辭。謂穽獵二百零九隻小鹿。

例2.《殷墟文字乙編》六六六四腹甲：「丙甲卜，殻貞。來乙巳酌下乙?王固曰：『酌，惟有祟其有設』，乙巳酌，明雨，伐既雨，咸伐亦雨、施、卯鳥星，乙巳有設於西」。

整條卜辭大意是：

丙申這一天，有叫殻的人來占卜。問乙巳日是否可以祭祀祖先下乙（即商王祖乙），王（即武丁）作出判斷說：「此次祭祀將有災祟，而且有設（有學者認爲「設」即霓）」。到乙巳這一天舉行祭祀，天亮即開始下雨，祭時下雨，祭結束時也下雨，到陳列祭品和殺鳥儀式時，天才放晴，當時有霓在西方出現。

二

甲骨文是三千多年以前商代留下來的書面語言。甲骨文有一些是記事刻辭，但大部分是占卜的卜辭。從語言學角度來看，甲骨文的詞類分實詞與虛詞兩類。實詞包括名詞、動詞、形容詞、數詞、量詞、代詞六種。虛詞包括副詞、介詞、連詞三種。尚未發現助詞、語氣詞等。作爲漢語的語法結構，是一脈相承的。《周易》筮辭語法結構直接繼承了甲骨卜辭的語法結構。

卜辭的內容從性質來分劃，大致概況爲：干支、數字、世系、天象、食貨、征伐、畋遊、雜纂（見郭沫若《卜辭通纂》）。

(一)每卜必有日辰，且以干支紀年。

(二)每卜也必有數字。

(三)世系的記載，使我們可以定奪卜辭的年代，考察卜辭的歷史性。

(四)天時之晦冥與牧畜、種植有關，卜辭中有天象記錄。

(五)食貨爲人類社會基礎，殷代社會眞相具在此中。

(六)殷時已驅使奴隸從事生產事業，奴隸得自俘擄，故有征伐。

(七)畋遊又與征伐相聯繫。

(八)一些抽象的事項，歸於雜纂。

人們研究甲骨卜辭不是爲了獵奇，而是爲研究殷周歷史和文化。王國維著《殷卜辭中所見先公先王考》，《殷卜辭中所見先公先王續考》正是在卜辭中發現重要史料。商代的甲骨卜辭前後記載了二百多年的事情，由於社會不斷發展，卜辭所記載的內容也不同。例如祭祀對象，包括自然神祇，有帝、土、日、月、星、雲、風、雨、雷、虹以及山、河等，還包括遠世先祖和直接先王三個方面。第二期的祭祀對象大變，對自然神祇和遠世先祖的祭祀愈來愈少，而對自上甲以下的先公先王的祭祀愈來愈頻繁，而且形成循環性的「周祭」。再加貞卜征伐的卜辭，第一期武丁時代的征伐對象是土方，舌方和蜀等。第五期帝乙帝辛時期主要是征伐夷方。再如，第一期卜疾、卜病、卜夢、卜風、卜雨者較多，第三期、第五期卜畋遊的較多。這些不同的卜事特點，爲我們研究古史提供了原始資料。

以上，從卜辭的語法結構，從內容，從史料都是《易經》形成的前期文化背景。

三

周代的甲骨文早在一九七七年之前，即有九處出土，但數量甚少。一九七七年八月，陝西省周原考古隊在陝西岐山縣鳳雛村發掘周代甲組建築基地時，出土卜甲一萬六千七百餘片，定名「周原甲骨文」。一九七九年，又於同一遺址中發現四百餘片卜甲和卜骨。據一些保存較好、內容較爲完整的卜辭來看，文辭長短不同，長者多達三十餘字，短者約十字左右。今岐山縣鳳雛村一帶，就是周都城岐邑之中心。研究「周原甲骨文」，無疑對周代歷史，周代文化以及《易經》和六十四卦的形成，都具有重要意義。

周原卜辭體例，同商代各期卜辭均不相同，它的辭序特點，還未能理出規律。

第二十四片

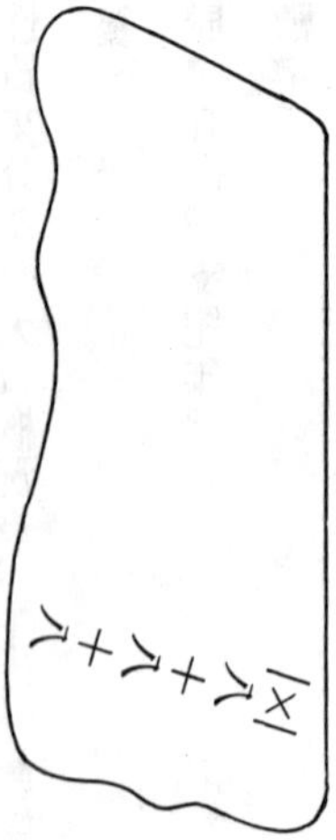

是由「五八七八七八」六個數字組成。張政烺先生考定爲《易經》卦象。以奇數爲陽爻，偶數爲陰爻，畫出卦形即爲

五八七八七八

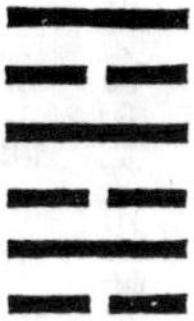

（未濟）

張政烺先生根據安陽出土的商代卜骨，陝西長安張家坡西周遺址出土的卜骨，西周時代的銅器銘文，以及周原卜甲中用數字組成的卜辭，指出「銅器銘文中三個數字的是單卦（八卦），周原卜甲六個數字是重卦（六十四卦）。《周易》中老陰少陰都是陰；老陽少陽都是陽。數字雖繁，只是陰陽二爻」。（張政烺《試釋周初青銅器銘文中的易卦》、《考古學報》一九八〇年第四期）。

我們推測，一、三、五、七、九奇數都可以表示陽爻；二、四、六、八、十偶數都可以表示陰爻。而《周易》却以七、九爲陽爻；六、八爲陰爻，這是「占筮」運算的必然結果。這裏說明一種數學概念的產生與應用。詳細論述見後。

第二節　筮

一

用蓍草占卜叫作筮。占卜用龜甲或獸骨比較繁難，於是用蓍草占卜，產生了筮法。這是從商至周占卜方法的改進。

從龜卜到蓍筮不僅是占卜方法的演化，而且也是文化的演進。周滅商，繼承了商的文化，又發展了文化。從生產力看，商還是初進農業社會，遊獵、牧畜還佔重要地位。周已進入農業社會。筮占正是產生於脫離牧畜時代，而進入農業社會的周代。甲骨占卜需要大量的龜甲和獸骨的物質條件，這在周代是辦不到的，才有蓍筮的產生。筮，必須計數，這就應用了數學概念。而數字的排列與組合，產生了六十四卦。

周代的銅器文字多是作圓筆，商的甲骨文則多是作方筆。八卦「⚊」「⚋」正是龜甲刻文的標識。所以八卦的起源較早。周代的占筮，使八卦發展爲六十四卦。從文字上論，甲骨文沒有「卦」字「筮」字。「卦」字從「圭」，「卜」，即有「卜」字，才有「卦」這一後起字。這樣比較研究，從龜卜到筮，是社會和文化的發展。首先是生產力的發展，數學的產生，以及排列與組合這種數學概念的形成。這一點很重要，可惜後來的經學家研究「經」，而忽略了「數」。六十四卦數字系統領先於世界，然而它並沒有向前發展。

二

由占筮而成書，即是《周易》。《左傳・莊公二十二年》說：「周史有以《周易》見陳侯，陳侯使筮之，遇觀之否」。據此則《周易》爲國史所掌，初必王室有之。

《周易》雖生成於占筮，但它的內容究竟是講甚麼的？這是要弄清楚的第一個問題。

錢鍾書《談藝錄》談及章學誠「六經皆史」之說，又擧出數人。王元美《藝苑卮言》卷一：「天地無非史而已，六經，史之言理者也」。胡元瑞《少室山房筆叢》卷二：「夏商以前，經即史也；周秦之際，子即集也」。顧亭林《日知錄》卷三：「孟子曰：其文則史。不獨《春秋》也，六經皆然。」王陽明《傳習錄》：「以事言曰史；以道言曰經。事即道，道即事。《春秋》亦經，五經亦史。《易》是庖犧之史，《書》是堯舜以下史，禮樂即三代史，五經亦即是史。史以明善惡，示訓戒，存其迹以示法」。

再如張爾田《史微・史學》篇，引《太史公自序》說：「則六藝相續爲史，可以心知其意焉」。

綜合觀之，「六經皆史」的「史」的含義有：㈠具有「史料」之「史」的含義。「六經」是政教典章，是歷史事實的記錄，而不是空洞的教條，是器而非道。㈡經世致用的「史」。《周易》之「神道設教」，「設教」即是致用。而「天地無非史而已」，那麼凡有記錄必爲「史」。所以，㈢「史」是記注，而不是史學撰述。如《周易》卦辭、爻辭，實屬此類。

梁啓超說：「羣經之中，如《尚書》，如《左傳》，全部分殆皆史料。《易經》之卦辭，爻辭，即殷周之際絕好史料。因彼時史迹太缺乏，片紙隻字皆爲瑰寶。抽象的消極的史料總可以向彼中求得若干也。」《周易》是殷周之際的史料，這裏又提出抽象的史料，哲學即此一。自漢以來，都稱孔子刪《詩》、《書》，定禮樂，贊《易》，作《春秋》。《易》和《春秋》這二書帶的哲學尤重。《周易》是「史」，是「哲學」，進一步推求它，是殷周的「文化」。這一範圍就擴大了。周代文化，文字的記載很少，留到現在的就更少，惟其如此，所以珍貴。

那麼，第一個問就解決了，即《周易》我們放在整個文化範圍內去考察。「文化」一詞沒有確切的定義，或說文化是人類活動的內容，如「史」是文化，「典章制度」是文化，「哲學」是文化，「數學」是文化、民情風俗是文化，對天地、四季、日月星辰的觀念是文化，如此等等。《周易》是講文化的書。

三

第二個問題是讀《周易》的「鑒別」和「欣賞」。前者叫「求眞」；後者叫「求善」。

對於「求眞」，舉一個實例：

《乾・九二》爻辭「見龍在田，利見大人」。有學者解釋是「龍出現於田中，比喻大人活動於民間，人見之則有利，故筮遇此爻，利見大人」。李鏡池的解釋是：「田，天田，龍星左角的一個星。《漢書・郊祀志》張晏注『龍星左角曰天田，則農祥也』。農祥就是農星，和農業有關。龍星在天田星那裡出現，對大人（貴族）有利。這是星占」。這裏用到了古代天文學知識。顯然，較之「龍出現於田中」更合乎情理。因爲「龍」是何物？那麼，「龍出現於田中」就很費解。李鏡池據《左傳》與《國語》的占筮實例，得出「古人往往用不同的占術合參」的結論。那麼《周易》卦爻辭中有星占、夢占、鳥占、蛇占、謠占等參驗的記載。

所謂「求善」，是對《周易》內容更深層次的理解。卦的符號僅六十四個，文辭較之其他古代典籍也少，眞是「片紙隻字」。假如讀《周易》僅僅停留在表面層次，那麼將是毫無價值的一本書。比如欣賞一幅中國山水畫，可以看成平面，也可以看成立體，而且看到畫面外的山、不在畫中的水，這就是欣賞層次問題。欣賞《周易》也存在這樣一個問題。

宗白華在《中國美學史中重要問題的初步探索》（載《美學與意境》）一文中說：「《易經》的許多卦，也富有美學的啓發，對於後來藝術思想的發展很有影響」。他看到離䷝卦和建築藝術的聯繫；和生產勞動的聯系；和生產工具的網的聯繫。賁䷕和中國古代繪畫思想的聯繫，他說：

「上九，白賁，無咎。」賁本來是斑紋華采、絢爛的美。白賁，則是絢爛又復歸於平淡。所以荀爽說：「極飾反素也。」有色達到無色，例如山水花卉畫最後都發展到水墨畫，才是藝術的最高境界。所以《易經》的《雜卦》說：「賁，無色也。」這裏包含了一個重要的美學思想，就是認爲質地本身放光，才是眞正的美。

……劉勰《文心雕龍》裏說：「衣錦褧文，惡文太章，賁象窮白，貴乎反本。」這也是《賁卦》在後代確實起了美學的指導作用的證明。

宗白華研究「卦象」，而得出以上美學結論。這是從美學和藝術角度來讀《周易》。

要深層次的理解《周易》，需要古史知識，古文化知識，在文字上又需要作訓詁工作。這裏略談「訓詁」。中國傳統的漢語語言學叫做「文字、訓詁、音韵之學。」語言文字是表達思想、交流思想的工具。訓詁學就是以語義的分析，以及解釋語言的方法爲研究內容。尤其研究古代文字記載，訓詁學是重要工具。黃季剛從語源來推求「詁」和「訓」的意義。「詁」就是「故」，「本來」的意思。《說文》：「詁、故言也」；「訓」，就是「順」，「引申」的意思。《廣雅》：「訓，順也」。唐孔穎達曾給「訓詁」下了個定義：「詁訓者通古今之異辭，辨物之形貌，則解釋之義盡歸於此。」現代人不能了解古人的語言，這就是「異辭」。所謂「形貌」，就是詞的含義。漢代把《詩經詁訓傳》的「詁訓」變爲「訓詁」以後，「訓詁學」就成爲語義學的專門學問。

聞一多《周易義證類纂》正是用「訓詁學」的方法研究《周易》。

潛龍乾初九　見龍在田九二　或躍在淵九四　飛龍在天九五　亢龍上九　見羣龍無首用九

「案古書言龍，多謂東宮蒼龍之星。」其考證資料有：《史記・天官書》，《史記・封禪書》，《後漢書・張衡傳》、《詩經》，《周禮・司服》，《賈子新書・容經篇》等。

《卦辭》和《爻辭》往往存在「異辭」，下錄聞一多論證一例：

或問上言乾（斡）即北斗，於天宮屬中宮，此又言龍即蒼龍，屬東宮，卦義與爻義固當兩歧邪？曰：卦爻兩辭，本非出自一手，成於一時，全書卦爻異義之例，曷可勝數？雖然，此卦言北斗而爻言龍，亦非無故。《天官書》曰：「斗爲帝車」；又曰：「蒼龍房山……房……曰天駟」《索隱》引《詩汜歷樞》曰：「房爲天馬，主車駕」，《爾雅・釋天》郭注曰：「龍爲天馬，故房四星謂之天駟。」《後漢書・輿服志・注》引《孝經援神契》曰：「斗曲杓橈象成車，房爲龍馬，華蓋覆鉤」；又引宋均注曰：「房龍既體蒼龍，又象駕四馬，故兼言之也」。《論衡・龍虛篇》曰：「世俗畫龍之象，馬首蛇尾」。由上觀之，斗亦爲車，龍亦爲馬，車與馬既交相爲用而不可須臾離，則卦言斗而爻言龍，其稱名雖遠，其寓意實近。

在此引文之後，我想說明要挖掘和清理中國文化，決不能浮光掠影，膚皮潦草，而是「韌」的努力。如果沒有點滴精細的耕耘，哪裡來的大面積的豐產和豐收。尤其研究「先秦」或「上古」文化，不能缺少傳統考據學以及訓詁學的基本功。

對《乾卦》之《彖傳》聞一多是信服的。他說：「然則《乾卦》六爻之義，《彖傳》已先余得之矣。占星之術，發達最早，觀《易》象與後世天官書言相會而益信。」這一結論有助於我們研讀《周易》。

《周易》「朋」字似有二義：一爲貨幣的「朋」；一作「崩」講。《周易》「朋」無「朋友」之義。

或益之十朋之龜，弗克違損六五，益六二

龜值十朋，大龜也。朋，朋貝。貨幣起先用貝，貝十枚一串爲朋。

朋來復　大蹇朋來蹇九五　朋至斯孚解九四　朋從爾斯咸九四　朋盍簪豫九四

《漢書・五行志》中之上：「京房易傳曰：覆崩來無咎」。「大蹇朋來」，《漢石經》作「大蹇崩來」。

《詩・無羊》：「不騫不崩，畢來即升」。《說文》：「騫，走貌」。騫騫同，騫崩並擧，「崩」即「走」之義。

訓詁學用於分析篇章結構，來了解文章的思想線索。以分析《論語・學而篇》爲例，陸宗達先生對此篇解釋不同，是獨家之見，摘抄如下：

「子曰：學而時習之，不亦說（悅）乎。有朋自遠方來，不亦樂乎。人不知而不慍（怒），不亦君子乎。」這短短的三句話，爲什麼要聯成一個章節呢？《史記・孔子世家》說過：「定公五年……孔子不仕。退而修詩書禮樂。弟子彌衆，至自遠方，莫不受業焉。」根據《史記》這段記載，我們就能很好地理解這一章節的篇章結構，也可以了解這一章節的全篇大意。原來這一章就是孔子自述定公五年整理和編輯「詩書」，教育學生時的心情。「學而時習之」是指「修詩書禮樂」說的。《論語》這部書中講到「爲學」的事情，都是指孔子整理和編輯「詩書」說的。「有朋自遠方來」就是指「弟子彌衆，至自遠方，莫不受業焉」說的。先秦時代稱學生爲朋友，如《孟子》一書中所說的「朋友」，也都是稱學生的。「人不知而不慍」，就是指「不仕」說的。《論語》裏說的「人知」，「人不知」，是表示有沒有人推薦作官的意思。……通過上面這一大段分析，可見這三句話是一個有機的聯繫。編寫《論語》的人，認爲孔子一生的事業就是編定「六經」和教育學生，所以把這一段話放在篇首，這就揭出了篇章的意義。

這裏把《論語》三句話當作一個整體來解釋，而不是把三句話解釋成互不聯繫的三個意思。如把「

有朋自遠方來」解釋爲「有朋友自遠方來」，那就錯了。《經籍纂詁》於《論語·學而篇》疏：「同處師門曰朋」，這裡當「弟子」講。引申爲「朋友」，就把《學而篇》給「割裂」了。

《周易》的結構很特殊，可以理解爲以「卦」爲章，以「爻」爲節。「卦」與「卦」之間又有著不同程度的內在聯繫。如《泰》與《否》，《損》與《益》，《旣濟》與《未濟》，是說明好與壞，得與失，盛與衰，強與弱，喜與悲的互相轉化。了解這種篇章結構，我們將能更深層次的理解《周易》文義。

《周易·文言傳》也是用訓詁的方法即「章句」串講《乾卦》：「元者，善之長也。亨者，嘉之會也。利者，義之和也。貞者，事之幹也。君子體仁足以長人，嘉會足以合禮，利物足以和義、貞固足以幹事。君子行此四德者，故曰：乾、元、亨、利、貞」。這是「傳」解。此處「傳」解和「經」意是不一樣的。「經」意：元，大也。亨，祭也。利即利益之利。貞是占問。串講即：筮遇此卦，可舉行大祭，此乃有利之占問。

第二章　《周易》的結構

《周易》由《經》和《傳》組成。《傳》或稱《大傳》或稱「十翼」，是最早解釋《經》的。讀《周易》首先應了解其結構。

第一節　《經》

《易經》是一部占筮書，所以在寫法上、編排上、體例上有它作爲占筮書的特點。別的書一般分作篇或章，《易經》以「卦」爲單位。全書共六十四卦，每卦由「卦符」、「卦名」、「卦辭」、「爻題」五部分組成。畫成框圖是：

卦符	卦名	卦辭
爻題……	……爻辭	

以《乾卦》爲例：

☰乾。元亨。利貞。

初九　潛龍。勿用。

九二　見龍在田。利見大人。

九三　君子終日乾乾，夕惕若。厲无咎。

九四　或躍在淵。无咎。

九五　飛龍在天，利見大人。

上九　亢龍。有悔。

用九　見羣龍无首。吉。

高亨《周易古經今註》將《易經》卦辭、爻辭以其性質分作四類。

㈠記事之辭。有採用古代故事者，或記錄當時筮事者。

㈡取象之辭。「象」在《易經》中有「物象」、「意象」、「法象」，詳論見後。

㈢說事之辭。乃直說人之行事，以指示休咎。

㈣斷占之辭。乃論斷吉凶成敗之語句。其居記事、取象、說事三辭之後。

如上例，「元亨」即記事之辭。「潛龍」、「見龍在田」、「或躍在淵」、「飛龍在天」、「亢龍」，「見羣龍無首」即取象之辭。「君子終日乾乾夕惕若」即說事之辭。「利貞」、「勿用」、「

利見大人」、「厲無咎」、「無咎」、「有悔」、「吉」即斷占之辭。

《易經》六十四卦，每卦六個爻題，即：

「初□」「□二」「□三」「□四」「□五」「上□」。共三百八十四個爻題。又《乾卦》「用九」爻題，《坤卦》「用六」爻題，共計三百八十六個爻題。

第二節 《傳》

《經》出之祝巫之手。《傳》的形成是經過漫長的歷史時代。司馬遷說：「西伯拘而演《周易》」，《漢書・藝文志》也說：「文王重《易》六爻，作上下篇」。然而《易・繫辭》只說：「《易》之興也，其于中古乎？作《易》者，其有憂患乎？」又說：「《易》之興也，其當殷之末世，周之盛德耶？當文王與紂之世耶？」其辭疑而未定。蓋周秦古書皆不題撰人，《易》傳作者，尚無從考定。

《易傳》分七種：即《象》、《象》、《文言》、《繫辭》、《說卦》、《序卦》、《雜卦》。《象》分上下，《象》分上、下，《繫辭》分上、下，《文言》、《說卦》、《序卦》、《雜卦》各一篇，共十篇，或稱「十翼」。分述如下：

象

共六十四條，解釋六十四卦的卦名、卦義及卦辭，分別列於各卦之後。《經》分上經、下經。上經包括卦一至卦三十；下經包括卦三十一至卦六十四。所以《象》也分上象、下象。

「彖」與「斷」音義同，即斷定一卦之義。

象　隨《經》分上、下兩篇，共四百五十條。釋六十四卦卦名、卦義，而不釋卦辭。釋爻辭三百八十六條。以《易》象釋之，故曰《象傳》。

文言　是對《乾》、《坤》兩卦的解說。解《乾》卦之卦辭、爻辭者稱《乾文言》；解《坤》卦之卦辭、爻辭者稱《坤文言》。或謂「言以足志，文以足言」是「文言」之義。

繫辭　是《易經》的通論，分爲上、下兩篇。以論述《易經》之義蘊與功用爲主，並及八卦起源、筮法，並選釋爻辭十九條。

說卦　述乾、坤、震、巽、坎、離、艮、兌，八經卦所象之事物。

序卦　解說六十四卦之順序。

長沙馬王堆新出土之漢帛書《易經》，六十四卦卦名與今本《易經》皆同，而字有異。八經卦之順序及六十四卦之順序與今本迥不相同。所以卦之編排，其順序不是唯一的。

雜卦　以卦象爲根據或以卦名爲根據，解說六十四卦卦義。

前面提及《易》傳作者尚無從考定，更申說之。陳啓源《毛詩稽古篇》曾論及《詩》三百篇，一般不提作者之名。「蓋古世質樸，人惟情動於中，始發爲詩歌，以自明其義。非若後世能文之士欲暴其才，有所作輒系以名氏也。及傳播人口，采風者因而得之，但欲識作詩之意，不必問其何人作也。國史得詩，則述其意而爲之敍，固無由盡得作者之主名矣。師儒傳授，相與講明其意，或與敍閒有附益，然終不敢妄求人以實之。闕所不知，當如是耳。」陳氏之言，不惟可以解《詩》，即凡古書不題撰人者，如《易》傳，亦可以此說推之。

《易》傳作者雖不可考，然而這七種十篇之作，不是產生於一個時代，更非出於一人之手却可斷言。李鏡池在《易傳探源》一文中將其分作三組：

第一組，《彖》與《象》——這是有系統的釋《經》之傳，其年代當作秦漢間，其著作者當是齊、魯的儒家。

第二組，《繫辭》與《文言》——彙集前人解《經》殘篇斷簡，並加以新著的材料。年代在漢武帝之後，昭、宣之前。

第三組，《說卦》、《序卦》、《雜卦》——較晚的作品。在昭、宣後。

這三期即公元前207年左右；公元前140年至公元前86年；公元前86年以後。歷時二百年左右。

當然這種分期是一家之言，然而考察《易》傳的成書年代，確是研究《周易》不可缺少的工作。因爲一種文化的形成，蘊含着當時諸多學術信息和資料。我們考察同一個時代的學術文化，作橫向比較，或能發掘《易》傳中現在尚未爲人理解的問題。

《周易》不是死的文化，而是活的文化，因爲它自身內涵極爲豐富。或者說《周易》是開放體系，而不是封閉體系。從《經》到《傳》是《周易》向哲學化方向發展。東漢魏伯陽《周易參同契》以卦爻符號闡述「內丹術」，是《周易》向數學化方向發展，實際《繫辭》的「筮法」就是數學運算。《

周易》的邏輯學內涵，數學內涵，這些被歷來經學家所忽略的易學天地，應該從新提起，從新認識。《周易》是一個開放體系，其著述之多，學派林立，很難整理出一個頭緒來。如秦漢之際「十翼」的形成是儒家化；哀平以後的《易緯》是陰陽家化；「王弼註」是老莊化；《先天圖》是道家化；伊川《易傳》是理學化……。

《周易》內容概括一個歷史時代的學術，各家註《易》，又有着不同的時代信息。讀者不得不明辨之。

第三節　「⚊」與「⚋」

「⚊」稱陽爻，「⚋」稱陰爻，是構成八卦及六十四卦的基本符號。研究這兩個符號的起源，是理解古代哲學的最原始、最本質的方面。比如數學的公理系統，數學大廈正是建立在幾條公理的基石上。

假如「⚊」與「⚋」兩個符號的客觀原型，認爲是占筮用的工具。其信息量微乎其微，不能構造《周易》大系統。比如「貓」與「狗」兩個符號，假如構造《貓與狗》一書，將不會有深邃的哲學內涵。「我」與「你」兩個符號就不同了，在語言中平常至極，在人類生活中用得爛熟的字，經過《我與你》一書的闡發，竟成了西方世界語言中意義至深，給人類生活以極大啓發的哲學箴語。《我與你》

一書的作者是「當代最偉大的思想家之一」的德國哲學家布伯。「我」與「你」兩個字或兩個符號，雖極平常，然而包含着豐富的信息量。所以作者採用這兩個符號，以體現其思想的精髓。「我—你」關係揭示人類生活中一個根本性的實際問題，關係人類的整個存在。

「⚊」「⚋」其客觀原型是男女的生殖器官，其信息是生命，是生成，是生長變化。有極其豐富的內涵。是構造《周易》的兩個基本符號，兩個基本元素，兩個基本概念。其構成八卦，六十四卦，以象徵宇宙萬物；宇宙萬物才體現一種強健的「生命力」。沒有客觀原型的符號系統，比如沙灘上的建築，而信息蒼白的符號，其所構成的符號系統也是蒼白的。

提出「⚊」「⚋」是代表男女生殖器官，也許令人難以接受。這裏存在「古人」和「今人」的問題。不得不繞幾個彎說明道理。

聞一多在《匡齋尺牘》一文裏，提出研究古書的三種困難。困難之一，一部書從那荒遠的年代傳遞下來，不知道要經過多少折磨？尤其是聖人賜給它的「點化」，最是我們的障礙。點化使它「神聖」，然而我們要求其眞。要去掉那點化的痕迹，如何下手呢？

困難之二，以我們自己的眼光，自己的心理，自己的價值觀念去讀二千五百年前古人寫的書行嗎？惟其如此，我們要設法建立客觀的標準，雖則客觀依然是相對的。要建立客觀標準，恐怕也祇有用推論法一途，然而推論的根據又在那裏？難題就在這一點上。

困難之三，我們的官覺靈敏了，情感細膩了，思想縝密了。二千五百年的文化將我們一步步改變到這裏，我們能夠一下子退回去嗎？文化既不是一件衣裳可以隨你的興致脫下來，穿上去，那麼你如何能擺開你的主見去悟入那完全和你生疏的古人的心理！這是最大的困難，因爲障礙物乃是我們自己。

現在錄《詩經・芣苡》：

采采芣苡，薄言采之！采采芣苡，薄言有之！

采采芣苡，薄言掇之！采采芣苡，薄言捋之！

采采芣苡，薄言袺之！采采芣苡，薄言襭之！

讀這首詩，也許你感到除了一種機械式的節奏之外，尋不出「詩」在那裏。幾個字講來講去，簡單而幼稚，藝術在那裏？美在那裏？情感在那裏？這即是二千五百年時代的隔礙。

聞一多把我們引到二千五百年前去鑑賞這首詩。「芣苡」草名，即車前，北方的山谷間很多。這是識名，但「多識鳥獸草木之名」仍不能讀懂詩，更不能讀懂周代人的詩。聞一多指出，在《詩經》裏，「名」不僅是「實」的標籤，還是「義」的符號。所以識名包括「課名責實」與「顧名思義」兩種涵義。經其考定，「芣苡」的本意即是「胚胎」，其字本只作「不以」，後來用作植物名變作「芣苡」。「芣苡」且與「胚胎」同音，在《詩經》中是雙關隱語。

從生物學的觀點看，周人採「芣苡」的習俗，便是性本能的演出。而《芣苡》這首詩即是性本能的吶喊了。性本能的衝動，結子的慾望，在原始女性強烈到我們不能想像的程度。

聞一多繼而從社會學的觀點考察。宗法社會是沒有「個人」的，一個人的存在是爲他的種族而存在，女人是爲種族傳遞而存在著。如果她不能證實這種功能，就會遭到種族的歧視，丈夫的驅逐，「神」的譴責。環境的要求，環境的權威超過法律。

那麼，性本能的引誘，環境的驅使，和閃著靈光的母性的慾望，女性的結子的要求沒有不強烈的。這即是《芣苢》一詩的內涵，除非你能伸長你的想像的觸鬚，伸到二千五百年前那陌生的古怪的世界裏去，這情形又豈是你現代人所能領會的！

何新《諸神的起源》第七章《生殖神崇拜與陰陽哲學的起源》，談到中國古代有崇拜生殖器的宗教——「社」。「春社」是縱情狂歡的兩性節日。這裏看到先民對生殖器官的莊嚴意義。

現在回到本題，陽爻「⚊」是男性生殖器官的象形代表符號；陰爻「⚋」是女性生殖器官的象形代表符號。除上述理由外，商甲骨文正是直劃文字，所以我認爲這種符號起源於商代。對生殖器官的崇拜，商代較之周代更古，一種社會意識也就更古怪。我沒有客觀標準，也祇是聞一多所說的一種假設與推論。第一章已經談到商甲骨文已經有六爻爲卦，那麼「⚊」「⚋」已先此而產生了。

到了周代，六個「⚊」，六個「⚋」所組成的乾坤二卦也代表生殖器官。證據就在《周易》中。

「夫乾，其靜也專，其動也直，是以大生焉。夫坤，其靜也翕，其動也闢，是以廣生焉。」

其中，「專」讀爲「團」，象「收縮」貌。「翕」即收斂，「闢」即開合。這不是直接把兩個概念同性器官，性行爲和生育聯繫在一起嗎？

世界各個文化區的古代哲學，其基本概念都有原始情慾的含義。先民所感受到的人類創造文化的動力——那眞的生命，便由這基本概念傳達出來。這生命本屬於人類，表現在文化中，却由人向外投射於宇宙，於是宇宙有了生命。讀《周易》我們感受到宇宙萬物的一種生命之力。現代重新發現原始情慾的途徑，在尼采表現爲「酒神精神」，弗洛伊德表現爲「生本能」，並力圖在哲學中取得本體論地位。

《周易》中乾坤是性本能的符號，然而並未停止在這一點上。《繫辭上》：「乾知大始，坤作成物，乾以易知，坤以簡能」，按熊十力的看法：「乾謂本心，亦即本體」，把乾看作能動的，亦即「形式」的。「坤以簡能」，即「坤」的性質是「能」，「能」可以作成萬物。比較西方古代哲學，畢達哥拉斯哲學中的基本概念同樣是一對，即「一」與「二」。「一」是原因，是動力；「二」是被動的，不確定的。後人解釋「一」是形式，「二」是質料，「形式」是能動的，「質料」是不能動的。這就區別於《周易》由性本能基本符號「—」與「--」或乾坤，而發展爲「形式」與「能」的乾坤，二者都是能動的。

金岳霖《論道》一書，其哲學體系包含有中國傳統精神，也包含有西方哲學的成份。他提出「道是式—能」，這確是對《周易》的道更深層次的開發了。他說：「式剛而能柔，式陽而能陰，式顯而能晦」，他說：

這裏的剛柔……等等，一方面都是形容詞，另一方面都不是形容東西底性質的形容詞，它們所表示的是「式」與「能」底不同意味。……

所謂剛柔，不是強弱的剛柔，「式」底剛很容易想到它底剛是普通所謂「理」底剛，或「原則」底剛，或「自然律」底剛；而「能」底柔就是與此剛相反的柔。陽與陰，顯與晦所表示的意味，也就是這裏剛柔所表示的意味。……陰陽二字頗有問題，中國哲學裏常用此字……我在這裏的確利用含混的意義表示「式」或「能」的不同的意味。

「道是式—能」，比較《周易》「一陰一陽之謂道」，何其相似。「道非式」，「道非能」也就是說道不單獨地是「式」或「能」；「道非陽」，「道非陰」，即道不單獨地是陽或陰。《周易》「一陰一陽之謂道」，「剛柔相推」，「君子知微知彰，知柔知剛，萬夫之望」，這裏陰、陽；微、彰；柔、剛，既是普通形容詞，又是道的意味。這些不同的概念，統一在「道是式—能」這一命題下。從某種意義來講，「道是式—能」更能揭示《周易》豐富的內涵。

由「⚊」「⚋」符號，而引申到《周易》的道，引申到「道是式—能」。文化的演進，概念的變遷，但是由人的生命向外投射於道的本質，卻沒有改變，這是中國傳統哲學的精華。

第四節　二進制與六十四卦

⚊

符號的含義不是單一的，尤其在遠古之世，書寫的不便，決定了創造符號的有限性。社會生活的豐富，與有限的符號產生了矛盾。解決的途徑是賦符號以新義。遠古「結繩記事」，數的觀念的產生，從而「⚋」「⚊」又代表數。所以《周易》六十四卦的構成，又是陰陽的觀念；又是數的觀念。

《易・繫辭上》：「易有太極，是生兩儀，兩儀生四象，四象生八卦。」圖示爲：

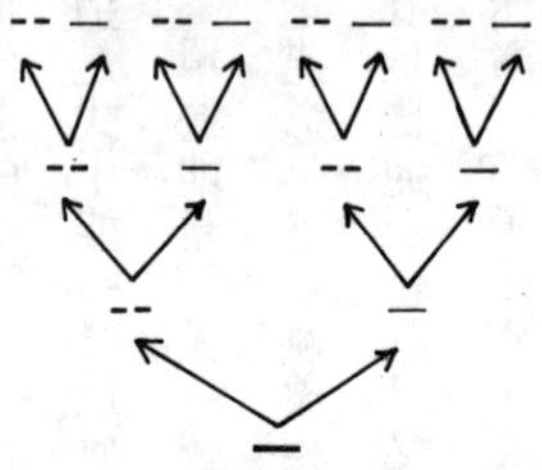

太極

兩儀即：⚊陽

⚋陰

陰陽之上又各生一陰一陽，生成四象：

⚏　老陰

⚎ 少陽

⚍ 少陰

⚌ 老陽

四象之上又生一陰一陽，生成八卦：

☷ 坤

☶ 艮

☵ 坎

☴ 巽

☳ 震

☲ 離

☱ 兊

☰ 乾

「⚋」「⚊」兩個數爲基數的運算或組合，在數學系統中是最簡單的運算。直至二千五百年以後，電子觸發器的高低電位，又把這兩個基數的觀念回到物質中去，構造計算機硬件系統。以兩個數爲基數，或以十個數爲基數，其產生的時代孰前孰後，很難說清楚。然而基數爲「⚋」「⚊」的系統產生於商周之世，却是肯定的。這一系統習慣語言叫做「二進制」，二進制的數學叫「邏輯數學」。在中國商周之世，是二進制產生的時代，但也是消亡的時代。八卦，六十四卦的各種定名，淹沒了抽象的數，也就使數不能再向前發展，這是中國傳統文化的弊端。但決不能說中國古代沒有邏輯數學。一千多年以前的東晉時代，區純按邏輯規律創造了機械機構，「作鼠市，四方丈餘，開四門，門有木人，縱四五鼠於中，欲出門，木人輒以手擊之」。推想起來，區純是得到中國傳統文化中這種邏輯推理的啓示。

《周易》的邏輯數學，從兩儀、四象、八卦，而六十四卦，周民以說明宇宙萬物之象，已足夠了。但單純從數的考慮，六十四卦可以發展爲一百二十八卦、二百五十六卦……可以按2^n遞進，以至無窮。周民是否有這種觀念，值得懷疑，但從「太極」二字的命名，「極」字有「至高至遠」之義。

陳夢雷《周易淺述》中《六十四卦衡圖說》：「八卦未畫之先，則太極生八卦，八卦既畫之後，則八卦皆可以爲太極」。這裏把太極理解爲宇宙本體，八卦是代表宇宙本體的符號。從八卦而發展爲六十四卦，「分陰分陽萬變畢具，陽生於復而極於乾，陰生於姤而極於坤……六畫之上無可加，六十四卦之外亦無可益，此理數之自然也。」即六十四卦已經可以構成邏輯體系，不是六畫之上不能再加，而是沒有必要。這或可說明《周易》之卦爲甚麼止於六十四。陳氏把「太極」理解爲宇宙之原，又理解爲宇宙本體，這是對「太極」合理的解釋。這一點很重要，後文我將論述之。

二

紹介六十四卦大成衡圖：

乾宮圖一

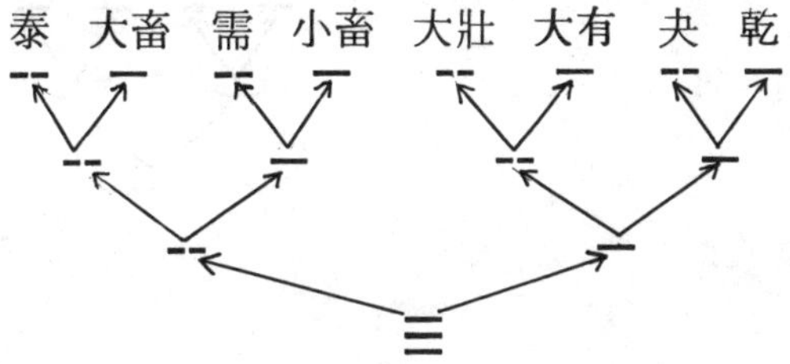

兌宮圖二

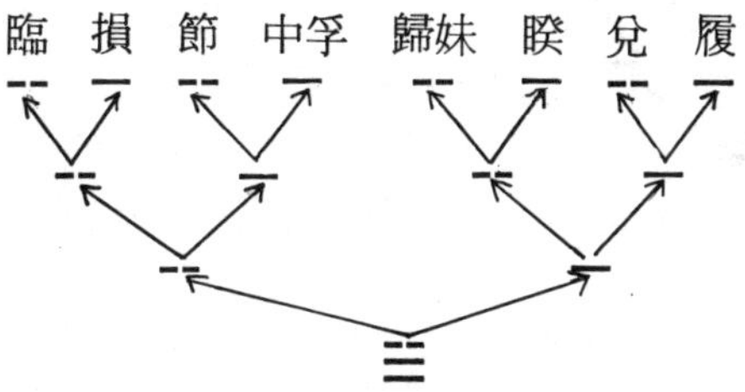

離宮圖三

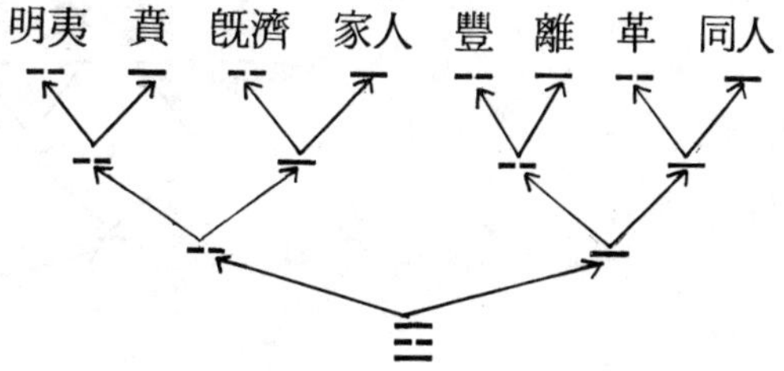

震宮圖四

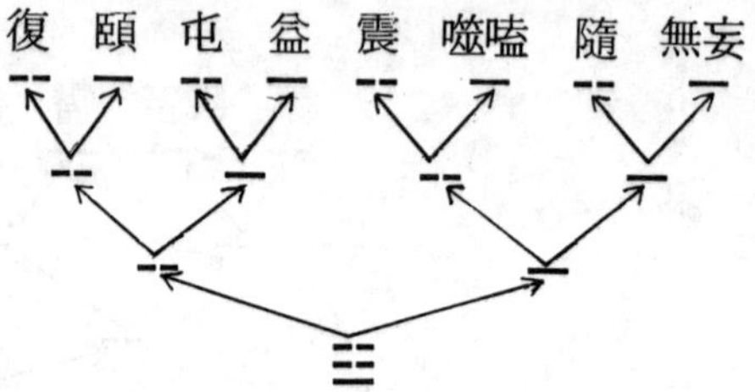

巽宮圖五

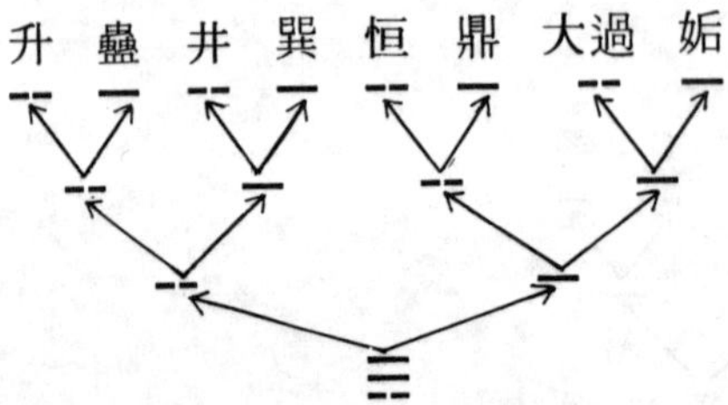

坎宮圖六

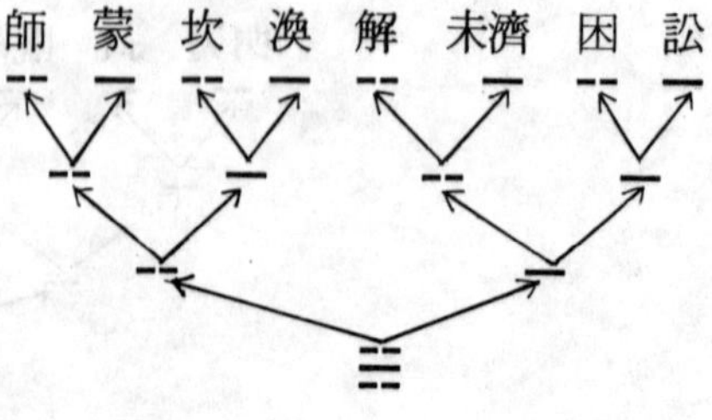

艮宮圖七

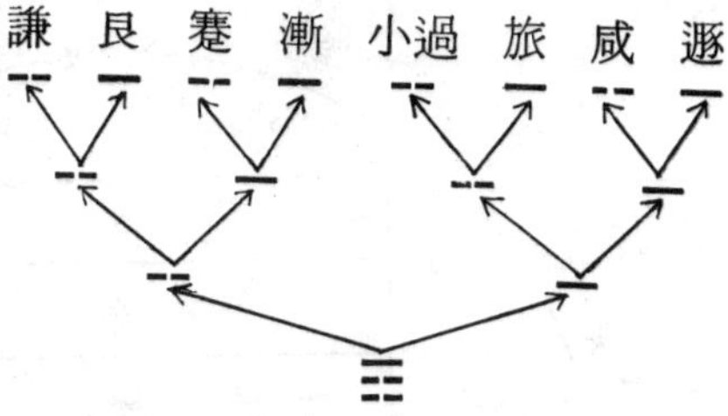

坤宮圖八

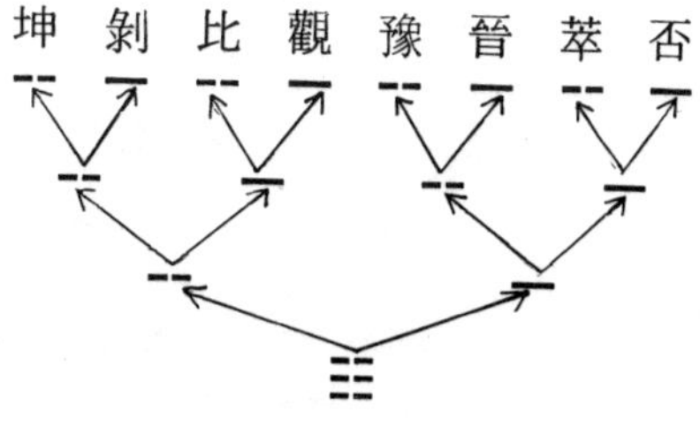

「陽生於復而極於乾；陰生於姤而極於坤」：

復　臨　泰　大壯　夬　乾

姤　遯　否　觀　剝　坤

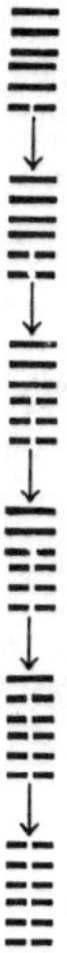

這是表示陽生陰消的情況。

三

《伏義六十四卦方位圖》其結構是外圓，上排列六十四卦；內方陣，也是排列六十四卦。爲掌握其規律，現將內方與外圓上六十四卦均改爲標記，繪製如下：

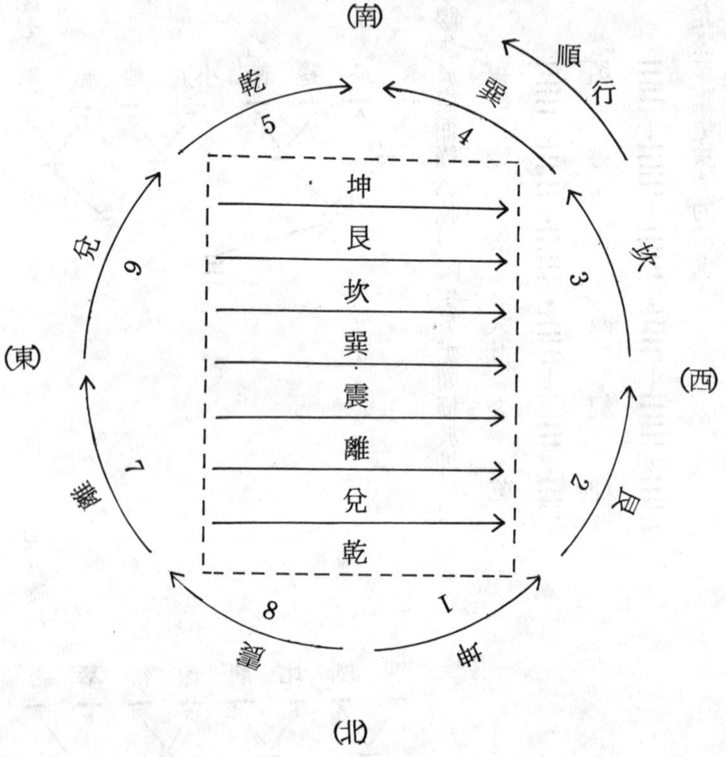

下卦＼上卦	坤☷	艮☶	坎☵	巽☴	震☳	離☲	兌☱	乾☰
坤☷	䷁	䷖	䷇	䷓	䷏	䷢	䷬	䷋
艮☶	䷎	䷳	䷦	䷴	䷽	䷷	䷞	䷠
坎☵	䷆	䷃	䷜	䷺	䷧	䷿	䷮	䷅
巽☴	䷭	䷑	䷯	䷸	䷟	䷱	䷛	䷫
震☳	䷗	䷚	䷂	䷩	䷲	䷔	䷐	䷘
離☲	䷣	䷕	䷾	䷤	䷶	䷝	䷰	䷌
兌☱	䷒	䷨	䷻	䷼	䷵	䷥	䷹	䷉
乾☰	䷊	䷙	䷄	䷈	䷡	䷍	䷪	䷀

爲方便起見，每橫行六爻卦，以該橫行「下卦」之名命名。如坎☵爲下卦之組合卦爲：

師 蒙 坎 渙 解 未濟 困 訟

䷆ ䷃ ䷜ ䷺ ䷧ ䷿ ䷮ ䷅

以—坎→表示之。餘類推。

將圓周分爲八段或八個區域，標號爲1、2、3、4、5、6、7、8。且以逆時針方向爲順行。那麼方圖與圓圖的關係爲「對號入座」的關係，即「映射」關係。此符號「↦」表示映射，則方圖可寫作：

坤 ↦ 1

艮 ↦ 2　等等

爲更簡單起見，用字母標號：

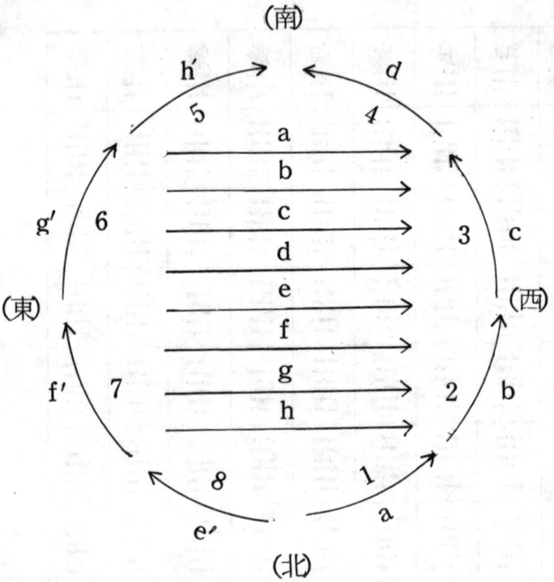

其中h'、g'、f'、e'表示h、g、f、e的逆行方向。

《伏羲六十四卦方位圖》的數學結構模式是：

$\{a、b、c、d、h'、g'、f'、e'\} \rightarrow \{1、2、3、4、5、6、7、8\} = \{a1、b2、c3、d4、h'5、g'6、f'7、e'8\}$

a、b、c、d、e、f、g、h八個元素的排列數是8!正行，逆行的組合數是$C^1_2 = 2$，所以我們可以構造：

$$C^1_2 \cdot 8! = 80640 \text{張圖}$$

一種圖給予一種解釋，就有80640種解釋。當然解釋工作是易學家的事。這裏我們只弄清楚圖的數學結構。

《伏羲六十四卦方位圖》，易學家是這樣解釋的：

天何依乎，依乎地也。地何附乎，附乎天也。天地相依附，而天地之內千變萬化。所謂不貳不測者，不外乎一經一緯，一方一圓，一動一靜間也。先天圖圜乎外方乎內。夫子欲以取方圖於外以別地，而虛圜圖之內以象天。實不若天包地外，地居天中，有依乎之勢爲不易也。天圜於外，圜則運行而息。地方於內，方以相交而成功。於是陰陽之妙用大無外小無內，悉包舉於斯而莫之或遺矣。

此解說載於「四庫本」。我不敢說此解說即是「標準化」的解說，然而確是代表易學家一種解說模式，一種意境。《周易》確有豐富的數學內容，邏輯內容，可惜被易學家「點化」了。那麼，用現代數學的方法去研究《周易》，就是正確的嗎？我也不敢說。因爲學術之林，各家有各家之見。用現代數學去套用《周易》，至少較之易學家的解說，不見得是多餘的。且有一點可以肯定，不是金礦開採不出金子，《周易》若無數學內容，甚麼數學也套用不上去的。後文我將談到《周易》的「變卦法」即是最原始、最簡單的計算機軟件系統，也是基於這種情趣。

有人說《周易》給人一種「啓示」。現代人從古人書中得到啓示，是信息問題。假如不以現代人的思維去觸及這一信息，何啓示之有？不用現代數學去觸及古代數學，又何啓示之有？假如古代根本無某種數學內涵，現代人的數學有何以觸及？這一連串問題，使我感到「啓示」即是信息的溝通。

萊布尼茲《談二進制算術》的論文，刊登於一七〇三年《皇家科學院論文集》。萊布尼茲關於二進制體制的形成大約在一六七九年以前。一七〇一年十一月曾得到《伏羲六十四卦方位圖》和《六十四卦次序圖》兩《易》圖。萊布尼茲是受到中國《周易》數學的啓示，即用他的二進制體制去對應這兩張圖，以進行信息溝通。《周易》數學不是歷史的古玩，而是與現代數學有息息相通之處。

此外，還有一張圖，叫《先天圖》。宋儒邵雍所著《皇極經世》創造象數學。他把宇宙發展歸結爲象和數的演變，自稱象數學是「先天學」。朱子說：「邵子發明先天圖，圖傳自希夷，希夷又自有所傳。蓋方士技術用以修煉，參同契所言是也。」此以邵氏《先天圖》原來自陳希夷，推及《參同契》。朱子主張象數爲求《易》之本源，象數得而後義理可得。朱子很重視邵雍的象數，「邵傳犧畫，程演周經。象陳數列，言盡理得。彌億萬言，永著常式」。那麼邵雍的《先天圖》來自希夷，其上溯可能時代較早，或早於《伏羲六十四卦方位圖》。它也是《易》卦的一種組合形式。按邵圖的卦序，和《周易》卦序不同。邵圖卦序和現代的二進制卦序是可以一一對應的。即把六十四卦按邵雍的卦序對譯成二進制數字，就可以得到從0到63的完整的數字順序。如，坤䷁爲 000000，剝䷖爲 000001，比䷇爲 000010，觀䷓爲 000011，直到乾䷀爲 111111，這種排列順序與二進制計數結果完全一致。

邵雍《先天圖》的數學結構模式是：

{a、b、c、d、e、f、g、h}⟶{1、2、3、4、5、6、7、8}={a1、b2、c3、d4、e5、f6、g7、h8}

繪製成圖是：

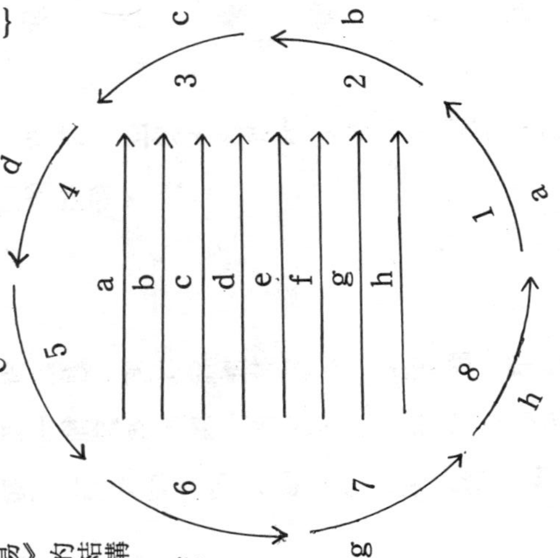

邵雍先天圖

兩種圖的數學結構：{a1、b2、c3、d4、h5、g6、f7、e8}與{a1、b2、c3、d4、e5、f6、g7、h8}作比較。後者是按一種自然順序，前者多一些變化。這種變化是要表達一種「意境」，或一種「說明」，由簡單而變得繁難。所以我推想邵雍《先天圖》早於《伏羲六十四卦方位圖》。

四

研究六十四卦之間的關係。

八卦相重而成六十四卦。位於上者叫「上卦」；位於下者叫「下卦」。下卦、上卦相同者叫「純卦」。共八個：

䷁	䷳	䷜	䷸	䷲	䷝	䷹	䷀
坤	艮	坎	巽	震	離	兌	乾

上卦是下卦的變卦（即相應之爻改變）叫「交卦」。共八個：

䷋	䷞	䷿	䷟	䷩	䷾	䷨	䷊
否	咸	未濟	恒	益	既濟	損	泰

六十四卦除「八純卦」、「八交卦」，其他四十八卦叫「別卦」。

卦與卦之間的對應，有「平對」與「反對」。兩卦之間爲變爻關係，則此兩卦叫「平對」關係。兩卦之間，甲卦的上卦是乙卦的下卦的倒置；甲卦的下卦是乙卦的上卦的倒置，甲乙兩卦叫「反對」

關係。表示為

平對：甲↔乙　反對：甲↕乙

㈠純卦之平對

䷁↔䷀　䷳↔䷹　䷜↔䷝　䷸↔䷲
坤　乾　艮　兌　坎　離　巽　震

交卦之平對：

䷊↔䷋　䷟↔䷩　䷾↔䷿　䷞↔䷨
泰　否　恒　益　既濟　未濟　咸　損

卦之平對即陰爻陽爻互易，卦名或卦象也隨之彼此對應。如「恒」對應「益」。「恒」是「常」義，即不變；而「益」是「加」義，即改變。「泰」與「否」，「既濟」與「未濟」，「咸」與「損」也是反義對應。

㈡純卦之反對：

坤䷁↔坤䷁　艮䷳↔震䷲　坎䷜↔坎䷜　巽䷸↔兌䷹　震䷲↔艮䷳　離䷝↔離䷝　兌䷹↔巽䷸　乾䷀↔乾䷀

交卦之反對：

泰䷊↔否䷋　恒䷟↔咸䷞　既濟䷾↔未濟䷿　咸䷞↔恒䷟　損䷨↔益䷩　未濟䷿↔既濟䷾　益䷩↔損䷨　否䷋↔泰䷊

按現代語言來說，無論純卦、交卦，對於「平對」或「反對」運算都構成封閉系統。

如S_1表示純卦集合，S_2表示交卦集合，↕表示平對運算，↔表示反對運算，則兩個封閉系統是：

〈S_1；↕↔〉和〈S_2；↕↔〉

或將此兩系統用下圖畫出

〈S_1；↕↔〉：

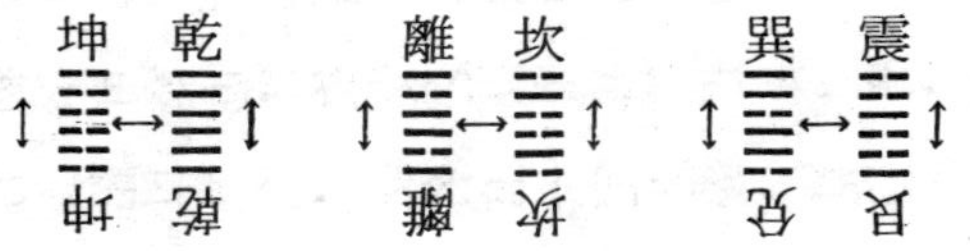

$\langle S_2 ; \leftrightarrow \updownarrow \rangle$：

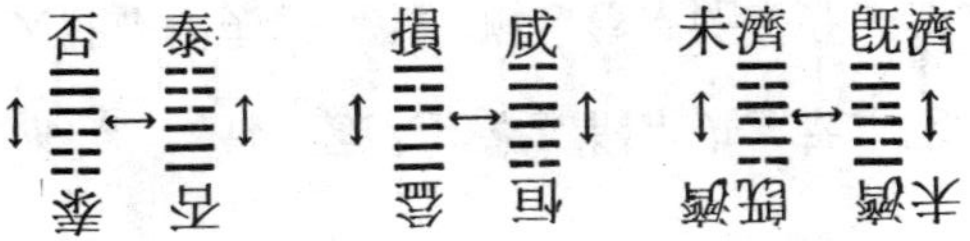

英國數學家G·H·Hardy 有一句名言：只有令人產生美感的那一部分數學才可能長久流傳。《易》卦正是美的數學。其反映周民認為宇宙是對稱和諧的這樣一種觀念。

設S是六十四卦全集合，S_3是別卦集合，則

$\langle S_3 ; \leftrightarrow \updownarrow \rangle = \langle S ; \leftrightarrow \updownarrow \rangle - \langle S_1 ; \leftrightarrow \updownarrow \rangle - \langle S_2 ; \leftrightarrow \updownarrow \rangle$即別卦對於運算「$\leftrightarrow$」「$\updownarrow$」也構成封閉系統。

㈢現在我們找到周代六十四卦的排序規律。

卦三、卦五、卦七……奇數卦，正是卦四、卦六、卦八……偶數卦的「反對」。

然而這裏有幾個特例，即

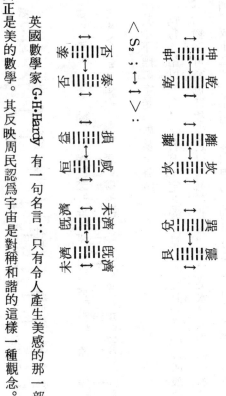

乾䷀ 中孚䷼ 離䷝ 大過䷛ 小過䷽ 坎䷜ 頤䷚ 坤䷁

六陽（乾）　四陽（中孚、離、大過）　二陽（小過、坎、頤）　無陽（坤）

這些卦的「反對」運算，仍是其自身，即一種「反身性」。具有反身性的卦以「平對」演之。這樣，《周易》六十四卦的排序，以「反對」而輔以「平對」。即：

乾$_{1}$↔坤$_{2}$　屯$_{3}$↕蒙$_{4}$　需$_{5}$↕訟$_{6}$　師$_{7}$↕比$_{8}$　小畜$_{9}$↕履$_{10}$　泰$_{11}$↕否$_{12}$　同人$_{13}$↕大有$_{14}$　謙$_{15}$↕豫$_{16}$　隨$_{17}$↕蠱$_{18}$　臨$_{19}$↕觀$_{20}$　噬嗑$_{21}$↕賁$_{22}$　剝$_{23}$↕復$_{24}$　无妄$_{25}$↕大畜$_{26}$　頤$_{27}$↔大過$_{28}$　坎$_{29}$↔離$_{30}$

咸$_{31}$↕恒$_{32}$　遯$_{33}$↕大壯$_{34}$　晉$_{35}$↕明夷$_{36}$　家人$_{37}$↕睽$_{38}$　蹇$_{39}$↕解$_{40}$　損$_{41}$↕益$_{42}$　夬$_{43}$↕姤$_{44}$　萃$_{45}$↕升$_{46}$　困$_{47}$↕井$_{48}$　革$_{49}$↕鼎$_{50}$　震$_{51}$↕艮$_{52}$　漸$_{53}$↕歸妹$_{54}$　豐$_{55}$↕旅$_{56}$　巽$_{57}$↕兌$_{58}$　渙$_{59}$↕節$_{60}$　中孚$_{61}$↔小過$_{62}$　既濟$_{63}$↕未濟$_{64}$

其中下標數字是《周易》卦序。

㈣每卦給以卦名，卦名有一定之義，見於《序卦》。如爲何最後一個卦名叫「未濟」？《序卦》說：「物不可窮也，故受之以未濟終焉」。濟，從水，本義爲渡水，這裏引申爲成就，成功。《釋言》：「濟，成也」。「未濟」即引申爲「物不可窮」。把「未濟」放到六十四卦的最後，或爲隱語，卦雖

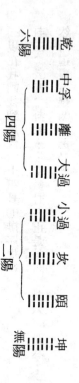

有限，但所表示的事物却無窮。

概括言之，廣義的「二進制」，在中國的周代就產生了。三爻組合成八卦，八卦又組合成六十四卦，這種「組合」觀念也產生於周代。而後世一談到二進制，總將其和計算機聯繫在一起，二進制是計算機時代的產物。實際《易》卦二進制是非計數的「運算」，是一種邏輯。假如有一位周代人復活的話，他一定會說：「用兩個符號運算，我們有不同的配置方法，我們有平對，反對等等運算。現在你們又增加一種二——十進制運算或計數，比我們那個時代多了一種」。他決不會感到驚奇，而是極其平靜地講這幾句話。

第三章 筮法

用蓍草占卜叫「筮」。筮在周代是很莊重的事情。專門設置占筮的屋子叫「蓍室」，在蓍室的中央築台長五尺，寬三尺，以作占筮之用。蓍，多年生草本，高二三尺，占筮用其莖。《博物志》說：「蓍千歲而三百莖，故知吉凶」。《史記》說：「生滿百莖者，其下必有神龜守之」。《易》用它來解疑。蓍也因問占者的地位不同而分若干等級：天子之蓍九尺，諸侯七尺，大夫五尺，士三尺。《周易》的占筮已脫離原始階段，專事占卜的筮人才能掌握。將蓍盛在櫝中，櫝用竹筒，或堅木和布漆製作，直徑約三寸，長度約爲蓍長的尺寸，有底和蓋。從占筮的用具來看，是很講究的。占筮的儀式見朱熹《周易正義·筮儀》：

設木格於櫝南居牀二分之比……置香爐一於格南、香盒一於爐南，　日柱香　致敬。將筮、則灑掃拂拭。滌硯一，注水，及筆一，墨一，黃漆板一、於爐東。東上，筮者齊潔衣冠北面，盥手焚香致敬。

下面分別紹介成卦法與變卦法。

第一節 成卦法

《繫辭上》：「大衍之數五十，其用四十有九，分而爲二以象兩，掛一以象三，揲之以四以象四時，歸奇於扐以象閏，五歲再閏，故再扐而後掛。……十有八變而成卦。」這段話概括了成卦法。每卦六爻，三變成爻，故十有八變而成卦。分述之：

第一變

大衍之數五十　衍是演的意思。金景芳說：「當作『大衍之數五十有五』，轉寫脫去『有五』二字。」此言極是。天地之數五十有五，《易經》演算，備蓍草五十五策。

其用四十有九　只用四十九策，其他策不用。

分而爲二以象兩　兩即兩儀。將四十九策任意地分爲兩部分。以象兩儀。

掛一以象三　三即天地人。將兩部分之一，抽出一策而掛之。以象三。

揲之以四以象四時　揲是「分」的意思，即除法運算。即以四策爲一組而分之。以象春夏秋冬四時。

歸奇於扐以象閏　奇，餘數。「分二爲二」，將四十九策任意分爲甲、乙兩部分。「掛一」，在兩部分中任取一策而掛之。「諜之以四」，將此兩部分各以四策爲一組而分之，即每一部分以四除之。

每一部分均得餘策，或一，或二，或三，或四（本來除盡，餘數爲零，這裏即說餘四）。餘策以象年之閏月。扐，音勒，一說「扐，別也」。即將餘策夾指間，或掛之，這都無關緊要，而是要區別開來。概括算法如下：

甲＋乙＝四九

（甲－一）＋乙＝四八

或甲＋（乙－一）＝四八

｛（甲－一）÷四
　乙÷四

餘一，或餘二，或餘三，或餘四。

或｛甲÷四
　（乙－一）÷四

甲之餘＋乙之餘＝四或八

四八策除去四策或八策

還剩四四策或四〇策。

五歲再閏，故再扐而後掛　古歷法，五年之中有兩次閏月。

「再扐」，即第二變、第三變。

第二變

將第一變後之所剩之策，同法演之：

甲＋乙＝四四

甲÷四
乙÷四 ｝餘一，或餘二，或餘三，或餘四。

甲之餘＋乙之餘＝四或八

四四策除去四策或八策

還剩四〇策或三六策。

或甲＋乙＝四〇

甲÷四
乙÷四 ｝餘一，或餘二，或餘三，或餘四。

甲之餘＋乙之餘＝四或八

四〇策除去四策或八策

還剩三六策或三二策。

第三變

將第二變後之所剩之策：四〇策或三六策或三二策，用同第二變之法演之。第三變後所剩之策爲：三六策，或三二策，或二八策，或二四策。

三變之後，此四個數字以四除之，有四種可能，即

三六÷四＝九，「九」定義爲「老陽」以「⚊九」表之，是變爻

三二÷四＝八，「八」定義爲「少陰」以「⚋八」表之，是不變爻

二八÷四＝七，「七」定義爲「少陽」以「⚊七」表之，是不變爻

二四÷四＝六，「六」定義爲「老陰」以「⚋六」表之，是變爻第四變。——第六變；第七變——第九變；第十變——第十二變；

第十三變——第十五變；第十六變——第十八變，其推演法均同於上述之第一變——第三變。

每三變得一數字，十八變得六個數字，設爲「六」、「七」、「九」、「八」、「七」、「八」，則可以構造一卦：

八	七	八	九	七	六
⚋	⚊	⚋	⚊	⚊	⚋
上爻	五爻	四爻	三爻	二爻	初爻

其中爻序是自下而上，第一爻叫做「初爻」，第六爻叫「上爻」。

按此推演標卦，可得 $4^6 = 4096$ 卦

每卦六爻，可得 $4096 \times 6 = 24576$ 爻，即有二四五七六條爻辭。但《周易》僅有

六四×六＋二＝三八六條爻辭

解決此矛盾，《周易》用了一種很巧妙的辦法，即「變卦法」。

上述推演用「同餘運算」表述如下：

第一變

大衍之數五十其用四十有九	$50 - 1 = 49 = R$
分而爲二	$R = R_1' + R_2$
掛一	$(R_1' - 1) + R_2 = 48$
揲之以四	令 $R_1' - 1 = R_1$ $R_1 \equiv r_1 \pmod 4$ $0 < r_1 \leq 4$ $R^2 \equiv r_2 \pmod 4$

歸奇於扐	$0 < r_2 \leq 4$ $r_1 + r_2 = 4$ 或 8 將此 4 策或 8 策夾指間
而後掛	$48 - 4 = 44$ 策 $48 - 8 = 40$ 策

第二變

分而為二	$R = 44$ 或 40 $R_1 + R_2 = R$
揲之以四	$R_1 \equiv r_1 \pmod 4$ $R_2 \equiv r_2 \pmod 4$ $0 < r_1 \leq 4$，$0 < r_2 \leq 4$
歸奇於扐而後掛	將 $r_1 + r_2 = 4$ 或 8 策掛起 來所剩之策為： $44 - 4 = 40$ $44 - 8 = 36$

	或 $40-4=36$ $40-8=32$

第三變

分而爲二	$R=40$ 或 36 或 32 $R_1+R_2=R$

續表

揲之以四	$R_1\equiv r_1\pmod 4$ $R_2\equiv r_2\pmod 4$ $0<r_1\leq 4$，$0<r_2\leq 4$
歸奇於扐而掛	$r_1+r_2=4$ 或 8 策，將此掛之，所剩之策： $40-4=36$ $40-8=32$ 或 $36-4=32$ $36-8=28$ 或 $32-4=28$

$32 - 8 = 24$

在上述運算過程中產生一個疑問，即$r_1 + r_2 = 4$或8，而不是其它數？答覆是肯定的。說明如下：

$R_1 \equiv r_1 \pmod 4$

$R_2 \equiv r_2 \pmod 4$

$\therefore R_1 + R_2 \equiv r_1 + r_2 \pmod 4$

已知條件是$R_1 + R_2 = 48$是四的倍數，

所以 $r_1 + r_2 = 0$或4的倍數

但 $0 < r_1 \leq 4$

$0 < r_2 \leq 4$

即$0 < r_1 + r_2 \leq 8$

所以，$r_1 + r_2$非0而是4或8

第二變已知條件是$R_1 + R_2$＝四四或四〇，也是四的倍數。故$r_1 + r_2$仍是四或八。

第三變已知條件是$R_1 + R_2$＝四〇或三六或三二，是四的倍數。故$r_1 + r_2$也是四或八。

《繫辭上》：「大衍之數五十，其用四十有九」，「掛一以象三」。四十九除去一即四十八。所以「四十九」是關鍵數字。《周易》數學，其邏輯推理水平，就表現在確定「四十九」這個數字。而最後才能得出九、八、七、六四個數而形成六十四卦（從數學角度看，或可形成四千零九十六卦）。

第二節　變卦法

《繫辭上》：「天一，地二，天三，地四，天五，地六，天七，地八，天九，地十。天數五，地數五，五位相得而各有合。天數二十有五，地數三十，凡天地之數五十有五。……是故四營而成易，十有八變而成卦」。這裏「十有八變而成卦」是指上述的「成卦法」；「四營而成易」是指「變卦法」。《周易》以奇數代表天；以偶數代表地。「天數五」指一、三、五、七、九，五個數字；「地數五」指二、四、六、八、十，五個數字。「五五相得而各有合」，天的五個數字加在一起，地的五個數字加在一起，然後又把此兩和數合在一起。

「天數二十有五」：一＋三＋五＋七＋九＝二五

「地數三十」：　二＋四＋六＋八＋十＝三〇

「凡天地之數五十有五」：二十五＋三〇＝五五

上述成卦法，最後之數字爲：九、八、七、六。這四個數字稱作「四營」。這四個數字不同組合的和，稱爲「營數」，我們用X表示之。設六爻都是「九」，則九×六＝五四，這是最大營數；設六爻都是「六」，則六×六＝三六，這是最小營數。所以營數X：

三六＜X＜五四

變卦法實際是在成卦法基礎上的一種「尋址」運算。打一個比方，成卦法是硬件系統（用蓍占筮）；變卦法是軟件系統（用營數進行尋址運算）。舉例說明如下：

例一．設有成卦法得卦：

上爻	五爻	四爻	三爻	二爻	初爻
九	六	七	八	八	九

六爻的數字和，即為：

營數＝九＋八＋八＋七＋六＋九＝四七

尋址數＝天地數－營數

＝五五－四七＝八

尋址路徑為自下而上，又自上而下……順序往返：

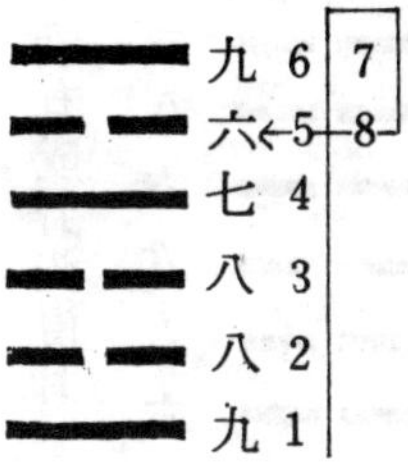

例二・設有成卦法得卦：

六　八　六　六　六　六
爻　爻　爻　爻　爻　爻
上　五　四　三　二　初

營數＝六＋六＋六＋六＋八＋六＝三八

尋址數＝天地數－營數＝五五－三八＝一七

尋址路徑爲：

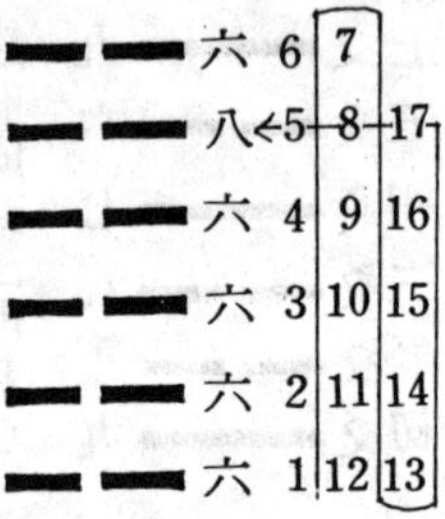

占筮的目的是問事之吉凶，成敗得失，由六四條卦辭、三八六條爻辭解說之。那麼採用那一條卦辭或爻辭？即由變卦法之尋址運算決定。根據《左傳》、《國語》所載占筮實例，作如下說明：

㈠六爻皆爲不變爻，即「七」或「八」，以「本卦」卦辭占之。無需尋址。

如筮得（升）䷭ 八八八七七八

六爻都是不變爻，以「升卦」卦辭占之。

㈡六爻都是變爻，即「九」或「六」，稱爲「全變」之卦。也無需尋址。又分三種情況。

1. 乾卦以「用九」爻辭占之，即

乾 ䷀ 九九九九九九

「用九，見羣龍無首，吉。」

2. 坤卦以「用六」爻辭占之，即

坤 ䷁ 六六六六六六

「用六，利永貞。」

3.除乾、坤二卦，其他六十二卦均以「之卦」卦辭占之。「本卦」之變卦叫「之卦」。

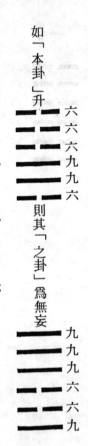

如「本卦」升

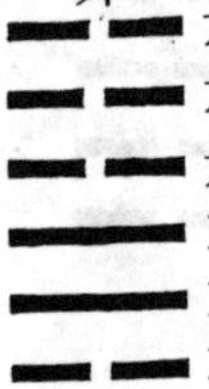

則其「之卦」爲無妄

即其中「⚋」(六)變爲「⚊」(九)，「⚊」(九)變爲「⚋」(六)而得到「之卦」。

以「之卦」無妄之卦辭占之。

（三）除六爻都不變，或六爻全變之卦，有一爻——五爻變爻之卦，需進行尋址運算。此種類型卦計

$4^6 - 2 \times 2^6 = 3968$ 卦

分兩種情況：

1.如果尋址數所指爲變爻，即「九」或「六」，則由本卦由尋址數所指示之爻辭占之。

例(1)

井

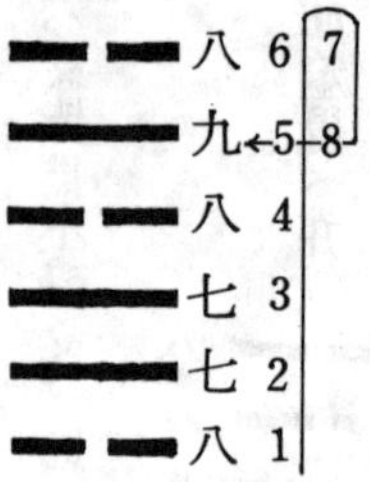

尋址數所指示爲第五爻，且爲變爻「⚊九」以井卦「九五」爻辭占之。

例(2)

姤

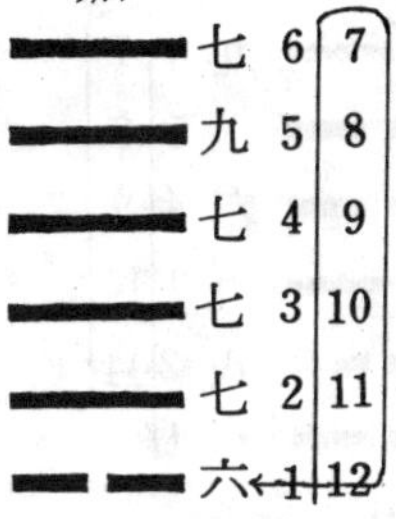

尋址數所指示爲初爻，且爲變爻「⚋六」以姤卦「初六」爻辭占之。

2. 如尋址數所指爲不變爻，則以「本卦」所含變爻之數決定。

其一，「本卦」有一變爻或二變爻，由「本卦」卦辭占之。

其二，「本卦」有三變爻，由「本卦」卦辭和「之卦」卦辭合占之。

其三，「本卦」有四變爻或五變爻，由「之卦」卦辭占之。

例(1)

困

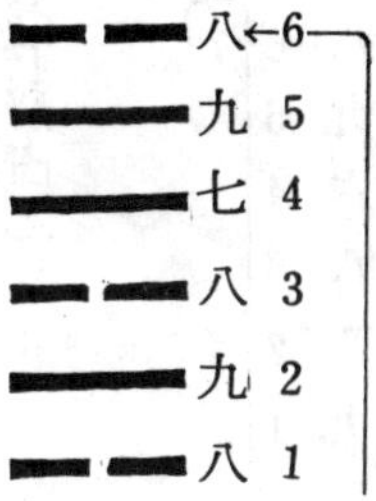

以困卦卦辭占之

例(2)

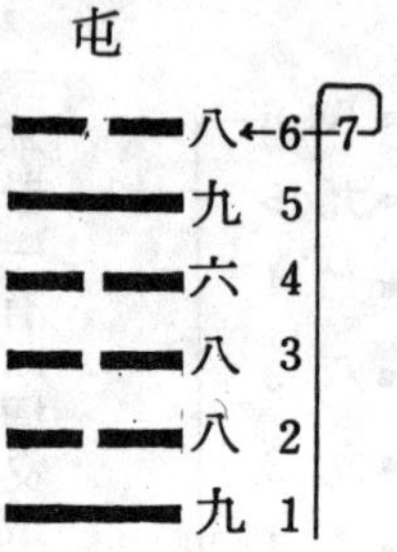

屯（本卦）、豫（之卦）兩卦卦辭合占之

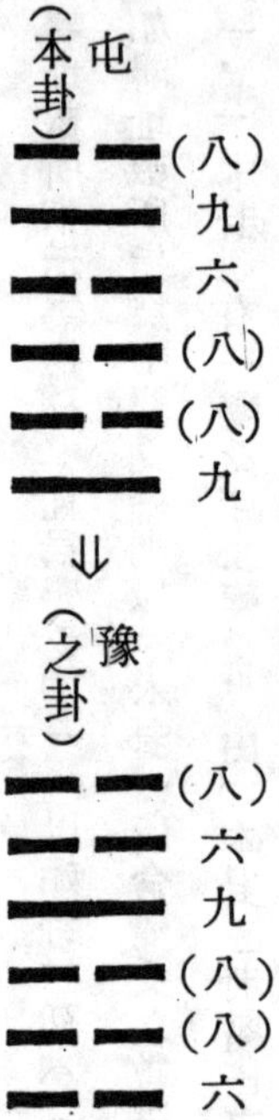

例(3)

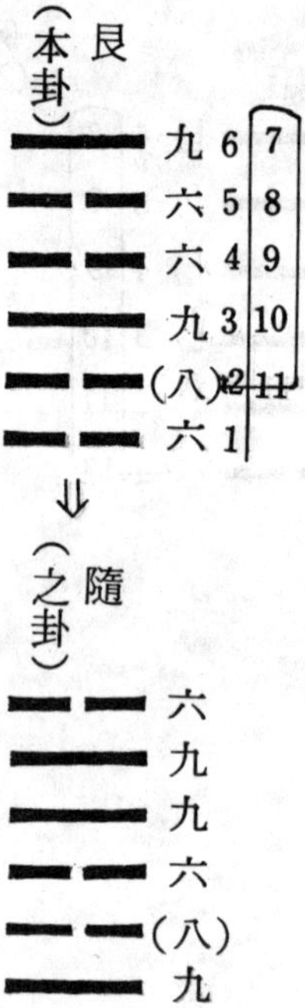

以隨（之卦）卦卦辭占之。

尋址運算列表如下：

狀態	尋址指向	占辭
六爻全爲不變爻	無需尋址	「本卦」卦辭
六爻全爲變爻	無需尋址	乾，「用九」爻辭 坤，「用六」爻辭 其它卦，「之卦」卦辭
有一爻變至五爻變	尋址數指向變爻	尋指數所指向的「本卦」爻辭
一爻變或二爻變	尋址數指向不變爻	「本卦」卦辭
三爻變		「本卦」、「之卦」，卦辭合占之
四爻變或五爻變		「之卦」卦辭

第四章　《易》的數字

《繫辭上》：「河出圖，洛出書，聖人則之」，這使「河圖」、「洛書」與《周易》聯繫在一起。古籍文獻中多有河圖、洛書之說，如宋雷思齊《易圖通變》中就有河圖二十餘種，宋劉牧《易解》中也多有圖說，舉不勝舉。這是一種文化現象。這種圖說宋代較多，五光十色，愈講愈奇。至明反對的聲浪愈來愈高。其實北宋歐陽修就已經痛詆了，他說河圖如已具八卦之文，則何勞乎伏羲之畫，如無八卦之文仍須人畫，則又何貴這河圖？

到了清代，對於河圖、洛書不信任的人越發多了。河圖、洛書乃失去了它的權威，而僅僅成爲學術史上的名詞。但清代也有推崇河圖、洛書爲神聖的，例如江永的《河洛精蘊》，就是很費心力而著成的一部書。

我之所以這樣寫，是反對河圖、洛書附會之說。而不是否認其存在和價值。它們的價值是

(一)其中有古史中的傳說和故事。

(二)對某些數字的崇拜是古代文化特點之一。

(三)包含着古人天文星象觀念。

㈣包含着古代數學觀念。

第一節　河　圖

今錄元張理《易象圖說》中的兩張圖：

圖一，天地未合之數龍圖

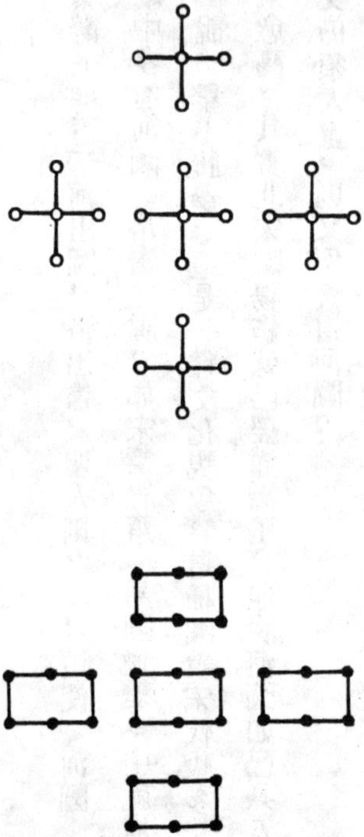

上爲「天」之數，共二十五個○；下爲「地」之數，共三十個●。上半圖縱橫是「九」；下半圖是縱「六」橫「九」。這是天地未合之前的數圖。是《周易》天地之數的觀念。即是將《周易》天地之數觀念的圖解。

這種畫法，給人一種奇數的感覺；而這種畫法，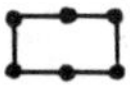給人一種偶數的感覺。這是古人的一種「數覺」。「數覺」和「計數」不同，數覺是人類在進化的蒙昧時期即已具備這種才能，計數是在較晚出現的。不僅人類，鳥類也是具此數覺的。如鳥巢裏有四個鳥蛋，那麼可以拿去一個，如果拿掉兩個，鳥就逃走了，它不會再飛回鳥巢。鳥的數覺能辨別二和三。人的數覺很難檢驗，因爲總和計數的複雜心理混和在一起。這種圖形結構與數覺有關，又與星象有關（尤其是上半之天圖），這是複雜的形成過程。據此推測、其起源較早。今人的麻將牌仍是這種畫法，確是源遠流長。

圖二，天地生成之數圖

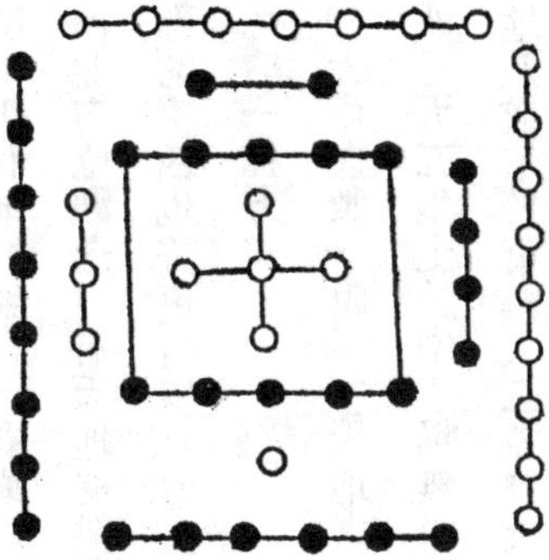

將圖一之天地數打亂，重新配置，一、三、五、七、九爲天數，二、四、六、八、十爲地數。這裏有奇數偶數即天和地的觀念；有萬物生成之基本要素，同時也是代表萬物之符號金木水火土五行觀念；有東西南北方位觀念；有天地樞紐觀念。古人地學的幾個基本觀念都表現在這張圖中。用圖示法表現觀念形態的東西也許更直覺，省去許多文字敍述，簡賅而易於傳播。在技術不發達的古代，這是古人表達思想的一種方式。

鄭玄注「大衍之數」說：「天地之數五十有五，天一生水於北，地二生火於南，天三生木於東，地四生金於西，天五生土於中。陽無偶，陰無配，未得相成。地六成水於北與天一並，天七成火於南與地二並，地八成木於東與天三並，天九成金於西與地四並，地十成土於中與天五並也」。鄭玄沒有更多的說明，而是直截了當給出數與五行和方位的對應關系。古人畫方位圖一般是把北畫在下方，南畫在上方，這是區別於現代人的畫法。這些對應關係如下：

一、六 ＞ 水—北

三、八 ＞ 木—東

五、十 ＞ 土—中（又爲天地運行之樞紐）

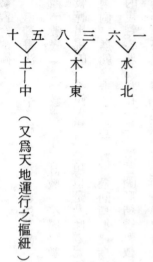

七
二＞火—南
九
四＞金—西

或者表示爲：

西九四
金

火
土
水

南七二
中五十
一六北

三八東
木

對某些數字的崇拜，是古代文化特點之一。這些數字構成了古代人的語言。數字的歷史究竟多久呢？數字產生的確切時代雖無從稽考，但是有確鑿的證據表明它的產生比有文字記載的歷史要早好幾千年。數字語言在古代人類文化的總體裏佔有重要位置。《周易》中以及在殷商甲骨文中，以奇數表示陽，以偶數表示陰，就是一種數字語言。數字有極大的穩定性，數字產生後，沒有甚麼改變。可是數字所對應或假借的原來實物和觀念，却幾經滄桑，現代人很難說得清楚。流傳至今的《易》圖，我們只能從古籍記載中得到一點信息。

數字對現代人來說主要用於計算，對古代人來說則既是計算，又是概念的符號。古代人對天和地的重視程度，現代人又怎能理解。現代人對天和地是淡漠的，古代人是濃厚的。所以數字語言，或者數字所代表的概念，首先是陰和陽及天和地。下面是古籍中對天一、地二等觀念的一種解釋模式。

「天一」代表混沌太極。「易有太極，是生兩儀，兩儀未分，其氣混沌。清濁既分，伏者為天，偃者為地」，伏即隱伏，偃即停息。這裏的「天」，無所謂上下四方，而是宇宙本體。

然後演化為「上天下地」的「天」。「天，坦也，坦然高而遠也」。「東方昊天，東南方陽天，南方炎天，西南方朱天，西方成天，西北方幽天，北方玄天，東北方變天，中央鈞天」，這是「天九」的解釋。

天神之大者，叫做昊天大帝，又叫天皇大帝，又叫太乙。其佐曰五帝，即東方青帝靈威仰，南方赤帝赤慓怒，西方白帝白招拒，北方黑帝葉光紀，中央黃帝含樞紐。可以解釋「天五」。從這些名字來看，靈威、葉光、慓怒、招拒、樞紐，包含着某種古代對天的觀念。

東方歲星，南方熒惑星，西方大白星，北方辰星，中央鎮星，加以日、月，謂之「七曜」。這是

「天七」的解釋。「東西南北曰四方」，「四方之隅曰四維」。這是「地四」的解釋。

「地下有八柱，柱廣十萬里，有三千六百軸，互相牽制，名山大川，孔穴相通」。「九州之外有八埏，東方曰沙海，東南方曰源澤，南方曰丹澤……」，「八埏之外有八紘……」，「八紘之外有八極……」。這或許是「地八」的解釋。

「地東西爲緯，南北爲經」，「東西爲廣，南北爲輪」，「山爲積德，川爲積形。周禮大司徒掌天下土地之圖，知九州之地域廣輪之數」。經緯或廣輪是「地二」的解釋。

「夫土地皆有形名，而人莫察焉。有龜龍體，有鱗鳳貌，有弓弩勢，有斗升象，有張舒形，有塞閉容，有隱眞之安，有累卵之危，有膏英之利，有瘠埆之害。此十形者，氣勢之始終，陰陽之所極也」。這是地形、地質、地勢的描述，或爲「地十」的解釋。

行文至此，感到一種困惑。這眞是天一、地二等數字的解釋嗎？這種模糊性，很難說是一種確切的解釋。事實確實如此，河圖中十個數字的原始含義，一點痕迹也沒有。後人的解釋如同詞牌塡詞一樣。然而惟其如此，我們才感到河圖對中國傳統文化的一種影響，也許比研究一張圖更有意義。也惟其如此，十個數字的模式，這種數的規定性，體現周人天的觀念和地的觀念不是單一的，而有極其豐富的內涵。

何新在《諸神的起源》一書中，對天一、地二等數字語言給出解釋。錄之如下：

> 但在上古時代，數字却是一種神秘的符號。它們如此排列在《周易》中有什麼特殊的意義嗎？爲

什麼所有的奇數都被稱作「天數」，而所有的偶數都被稱作「地數」呢？

這個問題可以通過下圖給予回答

天一 → 地二 → 天三 → 地四 → 天五 → 地六 → 天七 → 地八 →

（混沌太極）（兩向地理方位）（日、月、星三光）（東西南北）（五行）（六極六合）（七曜）（四方四佐）

→ 天九 → 地十

（九道九圜）（五帝五佐）

十個數的客觀原型，這也是一種解釋。概括言之，河圖正是數字語言的一種組合。

第二節　洛書（九宮圖）

從古史故事談起，相傳「太乙取其數以行九宮」。其巡行路線，鄭玄作了說明：「太乙下九宮。從坎宮始，坎，中男也。自此而從於坤宮，坤，母也。又自此而從震宮，震，長男也。又自此而從巽宮，巽，長女也。所行者半矣，還息於中央之宮。既又自此而從乾宮，乾，父也。自此而從兌宮，兌，少女也。又自此而從於艮宮，艮，少男也。又自此而從於離宮，離，中女也。行則周矣」。

我們依《易・說卦》所定義的八卦方位，畫一個太乙巡行九宮路線圖：

☴巽宮 4	☲離宮 9	☷坤宮 2
☳震宮 3	中央宮 5	☱兌宮 7
☶艮宮 8	☵坎宮 1	☰乾宮 6

其中1、2……9數字即爲巡行路線順序號。

西漢戴德所編《大戴記》所收之作，皆產生於公元前，不少屬於戰國時作品。以四、九、二、三、五、七、八、一、六表明堂九室的方位，顯然是模仿九宮之數。

唐李筌撰《太白陰經》，屬兵書。全書分十門，在陣圖門中載有九宮數的一種布陣方法。凡入此陣者，從那一方向進入都遇到同等的兵力。

戰國秦漢時古醫書《黃帝內經》用三、九、七、一、五，分別表示東、南、西、北、中。使方位合於九宮之數。

《易緯》：「故太乙取其數以行九宮，四正四維皆合於十五」。「四正四維」即是九宮之八宮，再加以中央一宮，其縱行，橫行及對角線上各數字之和，均爲十五。故九宮圖又稱「十五縱橫圖」。

東漢以後的術數有太乙、遁甲、六壬三派，都和這九宮圖有關係。神其說者又把九宮圖託始於黃帝、鳳后。《隋書・經籍志》子部五行類二百七十種書大半是屬於此三派。

唐玄宗於天寶三年，肅宗於乾元二年，武宗於會昌元年，都曾親祀九宮貴神，這裏我們看到對九宮的推崇（見《唐書・玄宗本紀》、《舊唐書・肅宗本紀》、《舊唐書・禮儀志》）。

以上，從宮室建築、兵書、醫書，以及古史故事、皇帝之推崇禮拜，一張九宮圖產生了一系列文化現象。其影響所及，不可低估。然而當其神格化的時候，數學內容卻完全被淹沒了。而九宮圖的價値，正是其數學內容。

九宮圖產生於那個時代？它是如何構成的？現在一點內證資料也沒有。那麼只有「外證」和推測。我的考慮是：

時代

算法水平

組合數學

第一，時代。其一，《大戴記》所收多是戰國時的作品，已經有九宮之數。這些作品約在公元前四七五年左右，距西周約四百年。其二，出現在秦漢之際的《九章算術》是一部綜合當時數學成就的經典巨著。其成就之一是開平方術和開立方術。如少廣章第十九題即是求解方程

$$X^3 = 1860867$$

亦即開立方術。這代表一種算術水平。其三，《孫子算經》據清戴震說成書於漢明帝（五八—七五）時。今人吳承仕《絸齋讀書記》說：「《孫子算經》舊說以爲孫武。詳其文義，實爲先秦舊書」。按此說《孫子算經》成書於公元前。前有序言，講數學在天文、測量、度量衡上的用途。上卷敍述算籌記數的制度和算籌乘除法則。中卷舉例說明算籌分數法和開平方法。下卷講「物不知數」，是一次同餘式組問題，是該書的世界性貢獻。一八五二年英國傳教士偉烈亞力將「物不知數」解法介紹到歐洲，西方數學史將這一定理稱爲「中國的剩餘定理」。其四，《周易》六十四卦的形成，《伏羲六十四卦方位圖》等圖的構造和古占筮術，是代表周代的數學水平。

綜上所述，我國古算法一種是算術，一種是組合術，九宮圖顯然是屬於組合術。六十四卦的組合以及「平對」和「反對」運算，顯示周人的智慧，在周代，九個數字的配置組合而成縱橫十五之數，是可以辦到的。九宮圖不見於《九章算術》和《孫子算經》，如周六十四卦不見於該書一樣。所以九宮圖與六十四卦形成於同一時代。

對數字的崇拜不獨出現於中國，它在畢達哥拉斯學派中也得到表現。他們認爲偶數是可分解的，是陰性的，是屬於地上的；奇數是不可分解的，是陽性的，是屬於天上的。然而只此而已。他們沒有將九個數字構造成一張圖。

在古代，認爲一切事物都具有數。要掌握具體事物，等同於掌握數。這就是組合術先於算術的理由。九宮圖的產生，說明周代一種數學組合觀念的形成。

第二，算法水平。秦九韶「大衍求一術」清代學者敦仁提出「求一之術出於《孫子算經》物不知數之問」。而李約瑟等西方學者則根據「大衍」之名得自《周易》，推測這一算法與卜筮古法有關。這一見解是頗有見地的。《周易》占筮古法是一個算法體系，且提出奇數（餘數）概念，這是同餘算法的基本概念。「蓍卦發微」列於《數書九章》八十一問之首。秦九韶又在序言中說：「聖有大衍、微寓於《易》，奇餘取策，羣數皆捐」。自序中將「奇餘取數」原於《周易》而形成自己的算法，我們無理由懷疑秦氏自己的話。「揲」字也原於《周易》，秦氏的揲算是將四十九蓍分而得三十三蓍爲例：

「二二揲之餘一」即 $33 \equiv 1$（mod 2）

「三三揲之餘三」即 $33 \equiv 3$（mod 3）

「四四揲之餘一」即 $33 \equiv 1$（mod 4）

這裏說明古老的《周易》筮法，包含着「大衍求一術」的內容。換言之，從「大衍求一術」，反追尋到周代相應的數學水平。

周代的「疇人」精通天文、歷法和算術。殷商時代的巫人，手中的竹策，既是算卦的工具，也是作曆算的「籌」。一個時代的組合數字水平與算術水平是等同的。九宮圖的形成，正表示周代組合數字水平。九宮圖或與天文星象有關，如一、二、三、四、五、六、七、八、九，九個數字分別對應星名：天蓬、天內、天衝、天輔、天會、天心、天柱、天任、天英。

宋丁易東《大衍索隱》有縱橫圖，這是組合術與「大衍」之名直接聯繫在一起。據資料，宋代構造縱橫圖，可達到 $7^2=49$ 宮、$11^2=121$ 宮等數。當然這僅是代表宋代數學水平。

第三，組合數學。我國古算往往寓理於算，這與西方數學之以演繹推理爲主的公理化體系相對照而互爲輝映。寓理以算，不能只借助於已知的結果或公理。而往往需要研究情況，以自己的聰明才智去解決問題。九宮圖的形成，不是在九個格子中湊數、湊成縱橫和對角線上數字和都是十五。而是有一種組合構造法則。這即是世界數學史上「組合數學」之始。

九宮圖的組合方法，不同於筮法。古卦問卜必須要筮，筮法得以流傳。而九宮圖一經形成，即要除去人造的痕迹。「河出圖，洛出書，聖人則之。」河指黃河，洛指洛水。即伏羲時有龍馬出於河，身有文如八卦，伏羲取法之（聖人則之）以畫八卦。禹時有神龜出於洛，背上有文字，禹取法之，以作書，即《洪範》之起源。假如把洛書（九宮圖）是人爲的九個數字的組合講明，且給出組合法則，那麼將使古史中的「神聖」黯然無色。所以先秦文獻看不到九宮圖的構造方法，古代將九宮圖推向神位，後世又將九宮圖附會陰陽、八卦、五行，致使中國古代數學的這顆明珠，長期被埋沒。下面的例子說明九宮圖的一種構造方法。周代方法已無從考稽。

例一設縱橫格數爲 n，$n=3$，即爲九宮圖。按下述方法構造此圖：

(1)將 $3^2=9$ 個方格外加台階

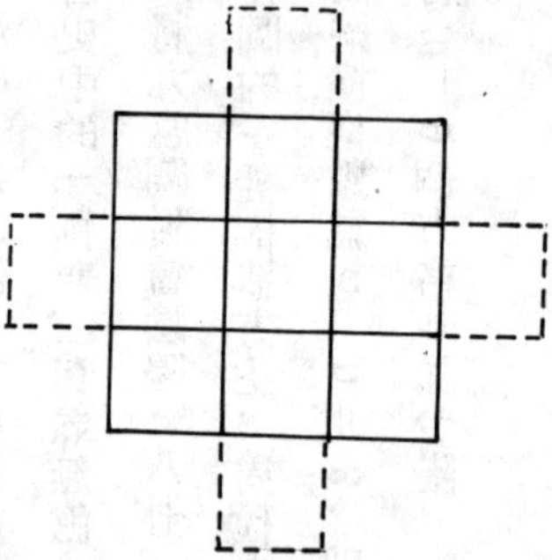

(2)將3^2＝9個自然數依主對角線方向順序填寫進格子

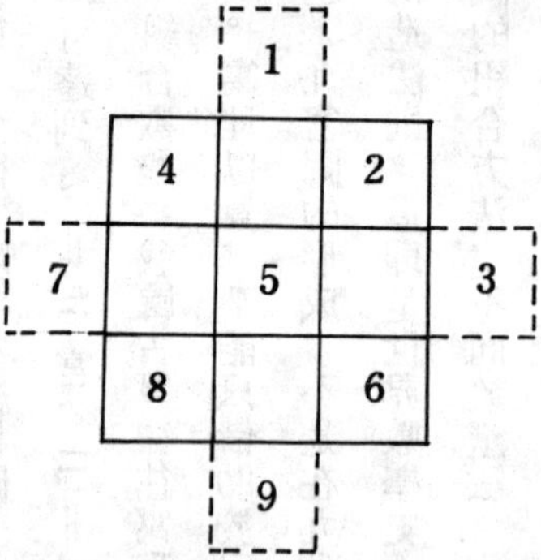

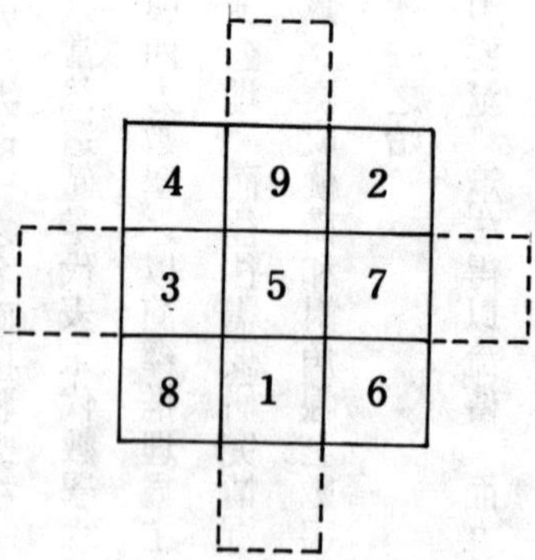

(3)將台階上的數字填入相距較遠的空格內，即得九宮圖。

例二設 n＝5，5^2＝25 構造二十五宮圖，方法同上。

(1)將二五個方格外加台階

(2)將二五個自然數依主對角線方向順序填入格子

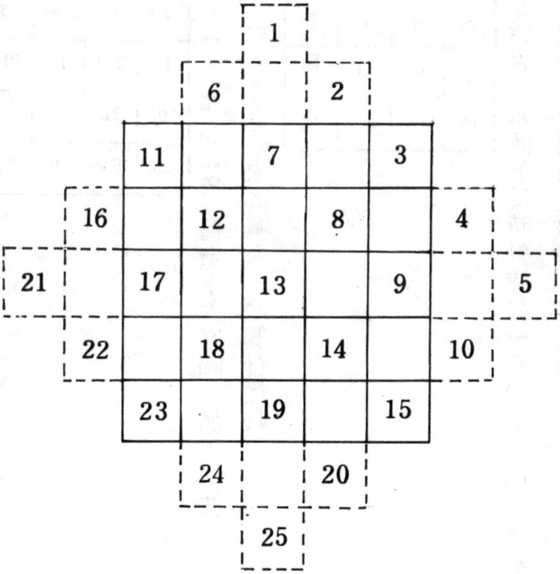

(3)將台階下數字移入較遠空格，即得二十五宮圖

縱行、橫行、對角線數字和，均爲六五。

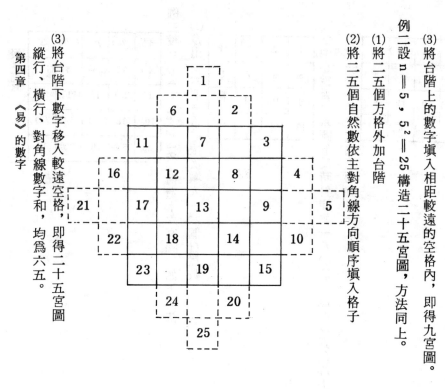

11	(24)	7	(20)	3
(4)	12	(25)	8	(16)
17	(5)	13	(21)	9
(10)	18	(1)	14	(22)
23	(6)	19	(2)	15

例三設 n ＝ 4，4^2 ＝ 16，構造十六宮圖。如下方法

(1)畫出一六個方格，依次填入一六個自然數

1	2	3	4
5	6	7	8
9	10	11	12
13	14	15	16

(2)依中心爲軸，將圖形反時針旋轉一八〇度，但保持對角線上數字一、六、一一、一六、及四、七、一〇、一三不動，成爲下面圖形

1	(15)	(14)	4
(12)	6	7	(9)
(8)	10	11	(5)
13	(3)	(2)	16

(3)將倒置的數字放正，即爲十六宮圖。

縱行、橫行、對角線上數字和，均爲三四。

1	15	14	4
12	6	7	9
8	10	11	5
13	3	2	16

例四設 $n = 8$，$8^2 = 64$，構造六十四宮圖

(1)將六四個自然數依次填入方格

(2)謀之以四，畫出對角線

1	2	3	4	5	6	7	8
9	10	11	12	13	14	15	16
17	18	19	20	21	22	23	24
25	26	27	28	29	30	31	32
33	34	35	36	37	38	39	40
41	42	43	44	45	46	47	48
49	50	51	52	53	54	55	56
57	58	59	60	61	62	63	64

(3)依中心為軸，將圖形旋轉一八〇度，但對角線上數字保持不動。即形成六十四宮圖。縱行、橫行、對角線上數字和，均為二六〇。

1	(63)	(62)	4	5	(59)	(58)	8
(56)	10	11	(53)	(52)	14	15	(49)
(48)	18	19	(45)	(44)	22	23	(41)
25	(39)	(38)	28	29	(35)	(34)	32
33	(31)	(30)	36	37	(27)	(26)	40
(24)	42	43	(21)	(20)	46	47	(17)
(16)	50	51	(13)	(12)	54	55	(9)
57	(7)	(6)	60	61	(3)	(2)	64

周代方法已不可考。但不可考不等於說歷史上沒有存在過。從此意義上講，九宮圖的構成是一種數學的思考。那麼，在世界數學史上應佔據它的位置。列表簡單表述：

成就	創建者	國度	產生時代
九宮圖——組合數學		中國	公元前十世紀
無理數的發現	畢達哥拉斯	希臘	公元前六世紀
無限概念的建立	芝諾柏拉圖亞里士多德	希臘	公元前四世紀
極限概念的整理表述	阿基米德	希臘	公元前三世紀
零記號的發明		印度	公元後初期
負數		印度	公元後初期

第五章　《周易》之基本概念

第一節　《易》象與文辭

明代一位學者說：

《詩》之妙妙在情
《易》之妙妙在象
《孟》之妙妙在辯
《莊》之妙妙在詩

《易》象是《周易》的基本概念。這一概念的形成是經過漫長的歷史沿革。「人希見生象也，而案其圖，以想其生，故諸人所意者，皆謂之象」（韓非子）。人難以看到眞的象，只能看到畫的象，看到畫的象而想眞的象，即想象。

距今二五〇〇年至七〇〇〇年前，我們長江流域與今熱帶相似而盛產大象，南人及楚人居息其間。

距今四〇〇〇年前後，黃河流域也同樣氣候炎熱，濕潤，也適合象的生存而產象。傳說大舜馴象耕田，正是那個時代的故事。甲骨文的「爲」字，從手從象，一只手牽着一頭象，馴象做工是「爲」字的本義。《呂氏春秋・古樂》說：「商人服象，爲虐于東夷」。「商人」當爲「南人」，南人即夏族支派有南氏，該部落原居伊洛以南的豫西山區。商湯滅夏，有南氏遷避江漢地區，周人渡淮與南氏部落作戰，當時南人以象參戰，在世界史上是最早的象戰。那麼以推斷周人是見過象的，把象畫作圖畫，又據圖畫想見其眞象，這即是「想象」。後來凡意念中各種事物都稱作「象」

王弼《周易略例・明象》對《易》象作了較確切的解釋，今摘錄一段再加以疏解如下：

夫象者，出意者也。	同一類意義之事物，可用同一象來表示，此即「象者，出意者也」。此重在象所包含的意義。
言者，明象者也。	語言文字，如卦辭、爻辭等，均爲說明卦象或物象的。
盡意莫若象，盡象莫若言。	象最能表達意，語言最能表達象。
言生于象，故可尋言以觀象；象生于意，故可尋象以觀意。	語言文字來自象，讀了它們就能看見象；象出自意，由象就能了解意。
意以象盡，象以言著。	意以象而完全表露出來，象以言而顯現出來。
故言者所以明象，得象而忘言；	語言文字是說明象的，得到象，即可忘掉語言文字；象是存意

象者所以存意，得意而忘象。	的，得到意，就可以忘掉象。這裏「忘掉」，是「棄去」、「不記」之意。
……得意在忘象，得象在忘言。故立象以盡意，而象可忘也；重畫以盡情，而畫可忘也。	「重畫」指六十四卦。

王弼闡述了意、象、言的關係，其模式是：

《周易》的體例是：

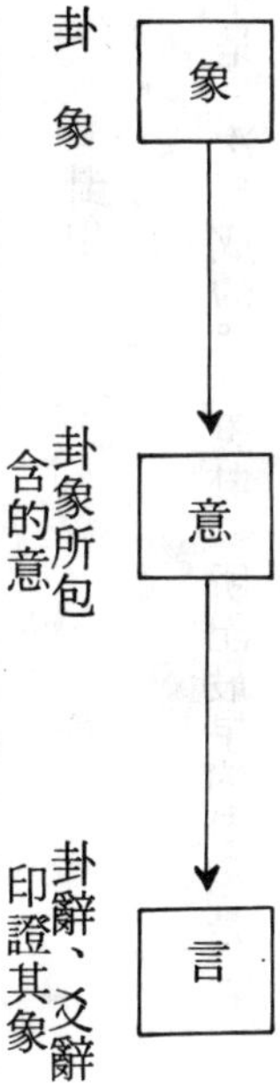

如

卦象		意		言
䷐震下、兌上 震雷、兌澤	→	天下隨時	→	卦辭：元亨， 利貞，无咎。

卦象不是一次形成的。《說卦》所記最早的卦象是：

乾☰　「乾爲天」
坤☷　「坤爲地」
震☳　「震爲雷」
巽☴　「巽爲風」
坎☵　「坎爲水」
離☲　「離爲火」
艮☶　「艮爲山」
兌☱　「兌爲澤」

意義甚爲簡單，卦之象是自然界中最常見最基本之物，或是自然現象。

後來取象就細碎複雜，《說卦》所說：

乾爲天、爲圜、爲君、爲父、爲玉、爲金、爲寒、爲冰、爲大赤、爲良馬、爲老馬、爲瘠馬、爲駁馬、爲木果。

坤爲地、爲母、爲布、爲釜、爲吝嗇、爲均、爲子母牛、爲大輿、爲文、爲衆、爲柄，其於地也爲黑。

震爲雷、爲龍、爲玄黃、爲旉、爲大塗、爲長子、爲決躁，爲蒼筤竹、爲萑葦、其於馬也爲善鳴、爲馵足、爲作足、爲的顙、其於稼也爲反生，其究爲健，爲蕃鮮。

……………………

到了京房，荀爽一班經師出來，又添了許多東西進去。這種風氣始於西漢，而極盛於東漢。但到三國時代的王弼，上引其作《周易略例》對這一派的作法提出反對意見，他說：

義苟在健，何必馬乎？類苟在順，何必牛乎？爻苟合順，何必坤乃爲牛？義苟應健，何必乾乃爲馬？而或者定馬於乾？案文責卦，有馬無乾，則僞說滋漫，難可紀矣。互體不足，遂及卦變；繼又不足，推致五行。一失其原，巧愈彌甚。從復或値，而義無所取。

大意是：綜合各類事物，則成各種象。集合各種意義，可以互相徵驗。只要合於剛健含義的，不必拘泥於馬這一具體的象徵。只要合乎柔順含義的，也不必拘泥於牛這一具體的象徵。而漢之《易》學，牽強附會之說繁瑣已極，無法抓住「象」的要領。漢《易》學家「互體」解卦之法，以及「五行」相生相克之說，失去《易》象之原旨，而廣爲譬喻，失之尤甚。

這是他對繁瑣的漢代易學的一個大破壞。王弼在易學上有破除迷妄的功績，但他不注重卦象，而只注重卦名，是對《周易》沒有作系統考慮。

唐李鼎祚的《周易集解》是對王弼的「忘象的」易學的反動。他集子夏、孟喜、京房以至伏曼容、孔穎達等「存象的」三十五家之書而成。

象是《周易》的重要概念。《繫辭下》說：「是故《易》者，象也」。「象也者，像也」。《周易》的內蘊是卦象，卦象是以象像事物。「仰則觀象於天，俯則觀法於地，觀鳥獸之文，與地之宜，近取諸身，遠取諸物，於是始作八卦」。「八卦成列，象在其中矣」。這是談象的形成過程。《繫辭上》：「見乃謂之象，形乃謂之器。」即出現於宇宙者謂之象，具有形體的象謂之「器」。這是對「象」更深層次的理解。

方東美在《中國形上學中之宇宙與個人》一文中說：《易經》一書，是一部體大思精、而又顛撲不破的歷史文獻，其中含有：㈠一套歷史發展的格式。其構造雖極複雜，但層次却有條不紊。㈡一套完整的卦爻符號系統。其推演步驟悉依邏輯謹嚴法則。㈢一套文辭的組合。憑藉其語法交錯連緜的應用，可以發抉卦爻間彼此意義之銜接貫串處。此三者乃是一種「時間論」之序曲或導論，從而引伸出一套形上學原理，藉以解釋宇宙秩序。

以上三者包括中國之哲學基礎，中國形上學。㈡㈢所提是卦爻辭系統的邏輯結構，及文辭組合，本書略作闡述。

關於(二)，任何一個符號系統必須滿足下列三個條件：

1. 符號系統：有窮個（不少於一個）或可數無窮個原始符號，并以連接運算構成字的集合。

2. 形成規則。

3. 變形規則。

《周易》的卦爻系統是滿足此三個條件的。

關於（三），卦辭和爻辭構成《周易》文辭系統。這一系統是卦辭和爻辭的組合，本卦卦辭和之卦卦辭的組合，卦辭內部各辭之間的組合，陳述語句和判斷語句的組合。

《周易》卦爻系統區別於現代符號系統，且有其特殊性。如數理邏輯中的符號A、B、C、但不能代替卦符䷉　䷽　䷁。因為卦符可以分解成陽爻⚊和陰爻⚋，而A、B、C不能再分解。數理邏輯中的原子命題p、d、p_2等通過命題聯結詞，構成更為複雜的命題——分子命題，如$P\vee Q(P\wedge(P\rightarrow Q))\rightarrow Q$等。但卦爻符號系統，是以一爻或數爻表示原子命題，以爻的所在位置定義命題聯結詞，則一個卦就是一個分子命題。

數理邏輯只考慮命題與命題之間的形式關係，而根本不顧及它的含義（內容）。正如我們在研究形式語言的語法規則時，根本不考慮字符的語義是一樣的。研究卦符也可以從形式的角度去考慮，周人創造卦符，以陽爻、陰爻的變化組合，正附合形式系統這一變形特點。

然而卦符系統又包含「語義」或信息，即卦象。列寧在《哲學筆記》中說：「如果不把不間斷的東西割斷，不使活生生的東西簡單化，粗糙化，不加以割碎，不使之僵化，那麼我們就不能想像、表達、測量、描述運動。思維對運動的描述，總是粗糙化、僵化。不僅對思維是這樣，而且對感覺也是這樣。不僅對運動是這樣，而且對任何概念也是這樣」。卦象的客觀原型是物質世界，卦象即是簡單化、粗糙化、僵化的概念。《周易》正是以卦符的組合變化、以其卦象構成一種特殊的思維過程。

那麼對卦符的研究可以分爲下列三個方面：

㈠從「語義學」研究卦符與實物的關係，也就是研究易象。

㈡研究卦爻與卦符的關係、卦符之間的關係，也就是卦符的形成規則和變形原則。

㈢研究卦符與使用者的關係，對周人來說當然是占筮所用，對現代人來說是接受其「語義」或信息。「語義」或信息有其廣泛性，如古代哲學、文化觀念、歷史畫面、生活畫面等等。

圖示爲：

符號（密碼）

發者（周人）——→信息——→收者（現代人）

所指（內容）

根據高亨《周易大傳今注》中《卦象與卦位》，《爻象與爻數》之說，卦符的組合模式可歸納爲下述幾種類型：

㈠八經卦相重爲六十四卦。八經卦乃象八類事物，其同卦相重，仍象一類事物，或有重複之意。其異卦相重，則是兩類事物相聯繫之含義。分述如下：

同卦相重，象之組合：

- □□以重象釋解　例 ䷸ 巽爲風。重卦象是風與風相隨而吹。觀此卦象，可以推行其政事，故《象》傳說：「君子以申命行事。」
- □□以不重象釋解　例 ䷀ 仍爲天

異卦相重，象之組合：

- 上象、下象　例 ䷃ 山／泉　山下出泉爲「蒙」
- 外象、內象　例 ䷣ 柔順／文明　內文明而外柔順爲「明夷」

前象　后象　平列象　平列象

例 ☵☰ 險 剛健　險在前也，剛健而不陷爲「需」

例 ☳☵ 雨雷　雷雨并動爲「屯」

㈡六十四卦，每卦六爻，每爻各有其象，稱作「爻象」。各有其位，稱作「爻位」。爻象與爻位組合，可以構造出各種易象。

「⚊」爲陽、爲剛；「⚋」爲陰、爲柔，是即爻象。爻位有下述四種情形：

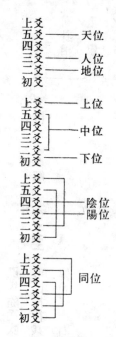

1° 上爻 五爻 —— 天位；四爻 三爻 —— 人位；二爻 初爻 —— 地位

2° 上爻 —— 上位；五爻 四爻 三爻 二爻 —— 中位；初爻 —— 下位

3° 上爻 五爻 四爻 三爻 二爻 初爻 —— 陰位、陽位

4° 上爻 五爻 四爻 三爻 二爻 初爻 —— 同位

這裏不詳細論述具體的象，而是研究爻象與爻位的不同配置、組合，所構成的不同狀態。象有「—」「- -」，如配合天位、人位、地位、可構成

$2^3 = 8$ 種狀態

如配合上位、中位、下位，可構成

$2^4 = 16$ 種狀態

如配合陽位、陰位，可構成

$2^6 = 64$ 種狀態

如配合同位，可構成

$2^6 = 64$ 種狀態

說明兩點：第一，這裏只從組合角度闡述象與位相配合而構成各種不同狀態，而不是死搬硬套《周易》象與位之說。第二，一種狀態至少對應一類易象，但是實際可引伸出多類易象。

以上從邏輯結構，從組合關係，說明《周易》符號系統或卦符系統形成象的內在規律。周人占筮遵從這些規律，然而靈活多變。因爲規律不等於公式。

中國古代學術較多扣合具體事物，而較少繁重推理。這一特徵，就其思維方式的民族淵源說，同儒家求實精神是不可分的。西方却比較側重於抽象化論證。我們舉文論一例，英國十九世紀批評家赫士列特，爲了證明莎士比亞的「博大」，寫了大段大段的評論，如：「他同任何別的個人一樣，不同

的只是他像別的一切人。……他本人什麼也不是，但他是別人是的或可能變成的一切」。論證很深邃、精當，但失之於抽象。中國文論就不同了，如清劉熙載評論《莊子》說：「今觀其文，無端而來，無端而去，殆得 飛 之機者」。他只扼要地抓住了一個「飛」字。這是從具體事物出發，研究具體事物的豐富特徵，是中國傳統的治學途徑。《周易》之象來自具體事物，雖是似乎是一些概念的組合，但決不是邏輯推理的一些簡單組合，而是有其內涵的極其豐富性。否則，單純追求卦符邏輯結構，或者側重於抽象推理，將使易象成爲概念的堆砌，而不能活生生的反映事物。

下舉《周易》卦象兩例：

例一，䷃上卦☶爲山，下卦☵爲泉，二者組合爲山下出泉。山下出泉是水的源頭，引申爲萌始，借「蒙」爲「萌」。以人生而言，正是童蒙時期。崔憬說：「物始生之後，漸以長穉，故言物始必蒙」。鄭玄說：「蒙，幼小之貌，齊人謂萌爲蒙也」。故此卦可引伸爲兒童教育，或啓蒙教育。

音義相關是中國訓詁學傳統的一個特色，是訓詁學的一個基本思路。依據上古音系統，「蒙」、「濛」、「瞢」、「夢」、「冥」、「瞑」、「盲」、「忘」、「茫」、「荒」、「莫」、「耄」、「望」等詞，都有「蒙蔽不明」之義。所以「山下出泉」又是「蒙昧愚蠢」之象。可以引伸爲「教化」。

例二，先介紹宗白華先生對離卦的解釋：離䷝，離卦和中國古代工藝美術、建築藝術都有聯繫，同時也表明了古代藝術和生產勞動之間的聯繫。

第一，離者麗也。古人認爲附麗在一個器具上的東西是美的。離，即有相遭的意思，又有相脫離的意思，這正是一種裝飾的美。這可以看到離卦的美是同古代工藝美術相聯繫的。

第二，離也者，明也。☲本身形狀雕空透明，同窗子有關。這說明離卦的美學思想和古代建築藝術思想有關。

第三、麗者幷也。麗加人旁，成儷，即幷偶的意思。即兩個鹿幷排在山中跑，這是美的景象。這說明離卦又包含有對偶、對稱、對比等對立因素可以引起美感的思想。

第四、《繫辭下》：「作結繩而網，以佃以漁，蓋取諸離」（☲）。古人關於離卦的思想，同生產工具的網有關。能使萬物附麗在網上，古人覺得是美的。古代陶器上常以網紋爲裝飾，通透如網孔，古人覺得是美的。

以上，宗白華從美學角度釋離卦之象。

☲最初卦象火。火必附麗於可燃之物，故爲麗。《彖》傳說：「離，麗也。日月麗乎天。百穀草木麗乎土。重明以麗乎正，乃化成天下，柔麗乎中正」。這是從「麗」說開去，引伸爲多義。《說卦》：「離爲火、爲日、爲電」，這樣引伸爲「光明」，象中有象。

第二節　易

概括言之，「象」是《周易》基本概念。其內涵又是極其豐富的，以上引例可見一斑。

「易」是《周易》的第二個基本概念。歷來易學家，對「易」字作專章論述，從「易」字考證起而漸入主題，探其要者，「易」即變易，一部《周易》是講變易的書。或者「易」作爲書名，另有他義，如有學者認爲「易」初爲官名，後轉爲書名。或者認爲日月爲「易」，即「易」是從日月二字會義。如此等等，這是屬於專家學者們研究的課題，是研究《周易》形成的歷史沿革，這已超出本書範圍。所以本書只從「易」是變易之說，根據就在《周易》書中，順便抄出幾條，作爲「內證」：

在天成象，在地成形，變化見矣。

剛柔相摩，八卦相蕩。

日月運行，一寒一暑。

剛柔相推而生變化。

六爻之動，三極之道也。

爻者，言乎變者也。

生生之謂易。

通其變，遂成天下之文。

六爻之義，易以貢。

闔戶謂之坤，闢戶謂之乾，一闔一闢謂之變。

《周易》是講變易的，「變易」簡稱爲一個「易」字。

「易」的分量很重，很形象，或者說有深層次的內涵，很有「意境」。從「易」中我們看到一種動態流；看到一種變革、運動；看到大生機和生命；看到宇宙和大自然的生成；看到人的創造和人本身的價值。所以哲學家方東美稱《周易》是「革命哲學」。在「易」的觀念下，方東美將《周易》之要義歸納爲四個方面。這裏擇其要點是：

第一，視全自然界爲宇宙生命之洪流所瀰漫貫注。自然本身即是大生機，其蓬勃生氣盎然充滿，創造前進生生不已；宇宙萬有，秉性而生，復又參贊化育，適以圓成性體之大全（《周易》說：「生生之謂易」，「易……曲成萬物而不遺」，「成之者，性也」）。

第二，人在變易中使善與美俱。以「盡善盡美」爲人格發展之極致，唯人爲能實現此種最高的理想。

第三，形成一套價値總論，將流衍於全宇宙中之各種相對性的差別價値，使之含章定位，一一統攝於「至善」。

第四，就形上學言之，基於變易，《周易》乃是動態歷觀之本體論。人類個人所面對者是一個創造的宇宙，所以人類也要同樣地創造遞進。

《周易》提出「剛柔相推而生變化」，「一陰一陽之謂道」。《周易》以爲天地萬物的變化，都由於一個「動」字。何以會有動呢？因爲天地間有陰與陽，柔與剛兩種原力。這兩種原力互相衝突，互相推擠，於是生出種種運動，種種變化。不必用現代哲學觀念去解釋《周易》，中國土生土長的哲學已足夠表明自身的觀念，「一陰一陽之謂道」，多麼精闢！

進一步我們比較老子的「道」和《周易》的「道」。老子所設置的道，是他對經驗世界的體悟和抽象。所以其「道」：

㈠有時是指物質世界的實體，即宇宙本體。

㈡有時是指支配物質世界，現實事物運動變化的普遍規律。

但一般來說，㈢老子哲學的理論基礎，是由「道」這個觀念開展出來的。而「道」的問題，事實上只是一個虛擬的問題，「道」所具有的種種特性和作用，都是老子所預設的。它超出天地萬物之外，又周行於天地萬物之中，生於天地萬物之先，却又是宇宙萬物的本源。這個「道」是抽象的概念，太微妙了，不容易說得明白。所以老子又從具體方面着想，於是想到一個「無」字。這個「無」的性質和作用，處處和他的「道」最相像。所以他說：

「無」，名天地之始；「有」，名萬物之母。（一章）天地萬物生於「有」，「有」生於「無」。（四十章）有物混成，先天地生。寂兮寥兮，獨立不改。周行而不殆，可以爲天下母。吾不知其名，強名之曰「道」。（二十五章）

《周易》所提出的「道」，和老子的「道」不同。「一陰一陽之謂道」。「易與天地準，故能彌綸天地之道」。《周易》所提的道很具體，沒有超出經驗世界。而老子的道，雖然來自經驗世界，但虛擬爲抽象的觀念。

老子的道和《周易》的道，二者不能混爲一談，然而問題並不這樣簡單。

老子：「道生一，一生二，二生三，三生萬物。」

《周易》：太極生兩儀，兩儀生四象，四象生八卦。

老子的「一」，等同於「有」，等同於《周易》的「太極」。但老子在「一」之前提出一個「道」，這裏的「道」即是「無」。老子哲學精彩的部分，就是在「有」之先，提出一個「無」，這個「無」既具體又抽象。這是《周易》所不及。

而《周易》的「太極」的「極」字，比「一」要豐富得多。「一」只能代表「有」，而「極」是高是遠，引伸爲「極限」。二者互相補充，形成老子和《周易》的宇宙本體論，即「無極」而「太極」。在構造此一模型之前，我們首先引入現代一個認識論的模型，即「珠子模型」，也許從這裏可以受到某些啓示。

「珠子模型」是談「知」之本性的問題。知總是與無知相聯繫，只有這樣，人類才能保持科學想像力和預測未來的能力。本文所感興趣的是它的兩個極限概念，圖示如下：

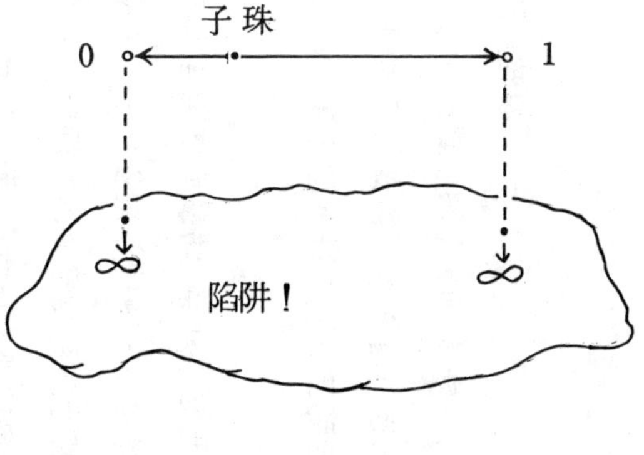

〇代表「無知」，1代表「知」，人類認識總是在「無知」與「知」之間。〇和1是兩個極限，永遠達不到的。你認爲達到「知」，達到眞理，注意，小心陷阱！這是一個耐人尋味的認識論問題。「珠子模型」是由R，A，Lyttleton 提出，他是英國著名的天文學家、宇宙學家、劍橋大學理論天文學教授。觀察激發人們去建立理論，因爲只有建立了理論，才能更好地觀察到事實。珠子模型的建立，正是一位著名科學家的哲學思考。這裏〇與1是認識論的兩個極。

其次，引入北宋周敦頤《太極圖說》。全文僅二百五十餘字，是對所繪的「太極圖」的說明。此圖是他利用道家的修煉之圖，改爲天地萬物生成的圖式。認爲有象有形的二氣五行和萬物，都出自原始的、絕對的實體「太極」。由「太極」又提出「無極」這一概念。《太極圖說》有兩個版本，一本首句作「無極而太極」，一本首句作「自無極而太極」，因而有兩種解釋：

太極等於無極

太極不等於無極

南宋朱熹和陸九淵各持所見。實際這不是詞語的問題，而是思想觀念的問題。「太極」一詞，在一個歷史過程去考察，各家有各家之見，但只有「無極」的提出，才能眞正理解「太極」的含義。而「無極」概念的淵源，還是老子的「無」。「無極」和「太極」相互補充，古人認識宇宙向前推進一大步。

一九四四年普林斯頓大學出版處編《東西哲學》，其中載諾斯洛浦教授的論文《東方直覺哲學與西方科學哲學互相補充的要點》，他說：「東方很少有超過最淺近、最初步的自然史式的知識的科學。」又說：「東方人用的學說，是根據由直覺得來的概念造成的；西方人用的學說，是根據由假設得來的概念造成的」。而且認爲東方「只容納由直覺得來的概念」。多少年過去了，然而現在對東方古代哲學的看法，仍然有人認爲是「直覺概念」。但事實並非如此。老子提出的「無」和「有」哲學概念，《周易》的「太極」，以及後來由老子的「無」而形成的「無極」概念，這些都是假設，而並非「直覺」概念。這些概念的形成，都遙遙領先於西方哲學。

現在解釋這兩個概念：

㈠無極是無；太極是有。無不是絕對的無，而是混沌。在時間軸上，無極是無始的極；太極是無終的極。

無極雖不是道的始，而是道無始的極；太極雖不是道的終，而是道無終的極。

道無終始，無論以甚麼有量時間爲道的始，在那個時間之前，已經有道；無論以甚麼有量時間爲道的終，在那個時間之後，道仍存在。

㈡無極與太極都是極，都是極限的極。雖然它們是不可以到達的，然而它們卻是現實的。

(三)太極爲至。至是登峰造極的至、至當不移的至、勢之所歸的至。就其爲至而言，太極至眞、至善、至美、至如。模仿珠子模型：

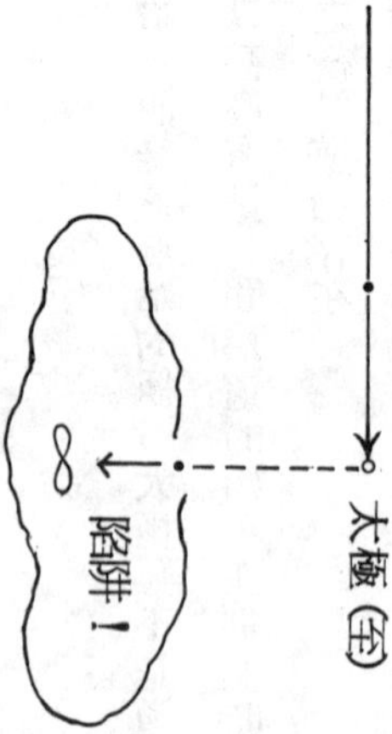

(四)就宇宙本體而言，無極是宇宙萬物形成以前的混沌。「混沌初開，乾坤始奠」的混沌，未開的混沌是眞的混沌。無極是「無」；太極是「有」。「無」生「有」，絕對的無不可能生「有」，所以這裏的「無」，只能是混沌。「有」或「太極」，是萬物的始；是萬物的動態歷程。

(五)無極，是天地生成以前的無象；太極，是天地生成之後的有象。出現於宇宙者，謂之象。有形的象，謂之器。器是象的有形形式；象是宇宙本體。無象不是絕對無，而是混沌。

概括言之，「無極」，「太極」有兩義：其一，兩個極限。這裏的概念是「時間」和「變易」，實際在變易中就含有時間的概念。時間和變易必然導出極限。其二，是象。在時間軸上，假設以天地生成爲〇時間，在此之前是一種混沌狀態，是無象，在此之後是有象，圖示如下：

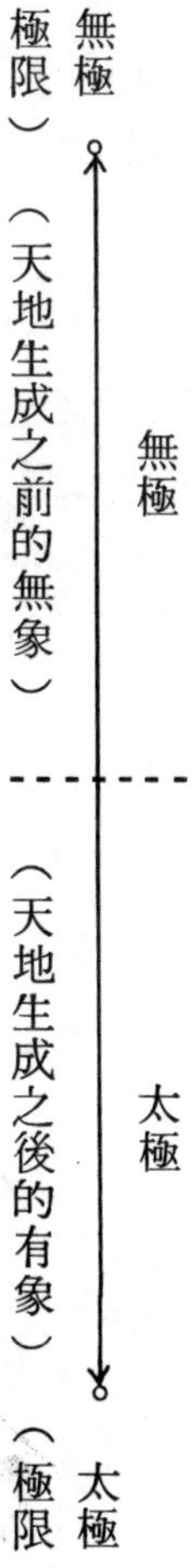

《周易》很強調「時」字，很強調變易，且提出「太極」概念。而老子提出一個「無」字。這是古代哲學的精碎。其內涵遠非用圖解的方法或模型的方法所能表達。這裏只是一些概念的解釋，而非探索《周易》哲學。

〔說明一〕這裏關於「極」的概念的更完美論述，見金岳霖《論道》一書，不敢掠美，特此誌之。

〔說明二〕「→∘」此符號爲一般數學極限符號。

第六章　《周易》作爲史料書

第一節　卦爻辭中的故事

有人認爲「歷史是一大掌故」，像伏爾太剪裁掌故而寫成史書。掌故、故事，都是史料。《周易》之卦爻辭，是殷周之際的絕好史料。梁啓超說：「大抵史料之爲物，往往有單舉一事，覺其無足重輕，及匯集同類之若干事，比而觀之，則一時代之狀況，可以跳活表現。比如治庭園者，孤植草花一本，無足視也，若集千萬本，蒔以成畦，則絢爛眩目矣。又如治動物學者搜集標本，僅一枚之貝、一尾之蟬，何足以資研索，積數千萬，則所資乃無量矣。吾儕之搜集史料，正有類於是」。又說：「非惟詩古文辭爲然也，即小說亦然。《山海經》今四庫以入小說，其書雖多荒誕不可究詰，然所紀多爲半神話半歷史的性質，確有若干極貴重之史料出乎羣經諸子以外者，不可誣也」。《周易》卦爻辭作爲史料是「散」，然而其珍貴之處是「罕」與「眞」。「罕」是殷周之際傳下來的史料極少，所以珍貴。

「貞」是記載逼眞，無修飾，無僞造，所以珍貴。

古史硏究，按照材料寫定的先後，大槪可分爲三期：

第一期，包括商周到戰國前期的作品。如甲骨文、金文及《尙書》、《周易》、《詩經》、《論語》、《左傳》、《國語》等著作。

第二期，包括戰國後期到西漢末的作品。如先秦諸子、《周書》、《山海經》、《國策》、《大戴記》、《史記》、《淮南子》等著作。

第三期，東漢以後的作品。如譙周、皇甫謐、酈道元諸人書中保存的一部分古代原始的民間傳說。

《周易》是第一期的作品，保存有原始性的史料。如《大壯》六五爻辭：「喪羊于易」，即是關於王亥的一條史料。顧頡剛說：「自從甲骨卜辭出土之後，經王靜安先生的硏究，發現了商的先祖王亥和王恒，都是已在漢以來的史書裏失傳了的，他加以考核，竟在《楚辭》、《山海經》、《竹書紀年》中尋出他們的事實來，於是這個久已失傳的故事，又復顯現於世」。

王靜安在《殷卜辭中所見先公先王考》一文中說：「甲寅歲莫，上虞羅叔言參事撰殷虛書契考釋，始於卜辭中發現王亥之名，嗣余讀山海經、竹書紀年，乃知王亥爲殷之先公，幷與世本作篇之胲、帝系篇之核、楚辭天問之該、呂氏春秋之王冰、史記殷本紀及三代世表之振，漢書古今人表之核實係一人」。

《史記・三代世表》：

殷屬：昭明→相土→昌若→曹圉→冥→振

再引王靜安文：

蓋商之先自冥治河，王亥遷殷，已由商丘越大河而北，故游牧於有易高爽之地。服牛之利（顧頡剛按，《呂氏春秋・勿躬》篇云：「王冰作服牛」。靜安先生謂篆文「冰」作「人」，與「亥」相似，「王冰」亦「王亥」之誤）即發現於此。有易之人乃殺王亥，取服牛，所謂「胡終斃於有扈，牧夫牛羊？」者也。其云「有扈牧豎，云何而逢？擊牀先出，其命何從？」者，似記王亥被殺之事。其云「恒秉季德，焉得夫樸牛？」者，恒蓋該弟，與該同秉季德，復得該所失服牛也。所云「昏微遵跡，有狄不寧」者，謂上甲微能率循其先人之迹，有易與之有殺父之讎，故爲之不寧也。……

有了這一段說明，我們再看《大壯》和《旅》的爻辭，就把早已失傳的故事，給鉤稽出來了。這是靜安先生的重大的發現！

《大壯》六五爻辭：「喪羊于易，無悔」。《旅》上九爻辭：「鳥焚其巢，旅人先笑後號咷，喪牛于易，凶」。這即王亥的故事，殷先王王亥曾客於「有易」之國，從事牧畜牛羊，終爲「有易」之君所殺，而喪其牛羊。王亥被殺，族人也被燒殺搶掠，像鳥被燒了巢一樣，無家可歸，全族遷徙，成了旅人。他們原先生活過得很快樂，後來就很悲慘了，呼號哭泣。不但家國被毀壞，牛羊等牲畜也被「有易」搶去。這是一次戰爭，可能是古史上的一件大事。

《泰》六五爻辭：「帝乙歸妹，以祉，元吉」。

帝乙，是殷帝帝乙。「歸妹」一詞在甲骨卜辭中也有，商代嫁女之稱。顧頡剛說：「帝乙嫁女，嫁到哪裏去呢？這一件事爲什麼會得成爲一種傳說呢？此等問題歷來無人討究，這個故事也早已失傳，除《易》爻辭外，任何地方都看不到了」。據顧氏考證，「帝乙歸妹」和《詩》文王迎親是同一件事。翻開《詩・大明》篇，我們讀到「文王初載，天作之合，在洽之陽，在渭之涘。文王嘉止，大邦有子。大邦有子，俔天之妹。文定厥祥，親迎於渭。」「俔」，《說文》：「譬喻也」。「大邦有子，俔天之妹」的意思是：這個大邦之女像天上的仙女一般。《尚書・召誥》：「天既遐終大邦殷之命」。《大誥》：「與我小邦周」。那麼「大邦」即指殷商，周自稱「小邦」。兩條孤立的史料湊合在一起，即是殷周和親。不難推想，這時周已強大，殷勢削弱，周民族的文化較商爲低，似是事實。文化較低的民族，征服文化較高的民族，是世界史的常例。「帝乙歸妹」，這時周的勢力已威逼殷的天下，故有和親之舉，像漢之與匈奴一般。僅有《詩》之記載，是歷史的孤證，同樣的事件出於不同的古籍，才不是孤證。打個比方，在《紅樓夢》版本上，有甲戌本、庚辰本二系。戚本的情況與此二系不同，後來蒙古王府本的發現，戚本由孤立而擴成脂本中的重要派系。「帝乙歸妹」與《詩・大明》記載，兩條史料就比一條論證歷史的事實，更爲有力。

《既濟》九三爻辭：「高宗伐鬼方，三年克之，小人勿用」。

《未濟》九四爻辭：「震用伐鬼方，三年有賞於大國」。

顏頡剛說：「殷高宗伐鬼方，是東方民族壓迫西方民族的一件最大的事，故爲西方民所痛恨。周國的人替鬼方抱不平，借這個理由來痛駡殷商，即以此故。不料到了後來，周也吃了鬼方的大虧，赫赫的宗周竟給犬戎滅掉了（犬戎即鬼方之異稱）。這可以看作中國古代複雜的國與國之間的關係史。

但《未濟》爻辭中「有賞於大國」究竟是怎麼回事呢？故事早已失傳，現在不可解。

研究上古史的人在《周易》中讀到王亥、高宗、帝乙、箕子、康侯的故事。故事遠不止此，顏頡剛指出：《同人》九三、《坎》上六、《明夷》九三、《震》六二、《睽》上九、《訟》上九、《離》九三、《師》六五、《小過》六五、《益》六四、《豐》九四、《比》九五等都包含着故事。然而故事早已失傳，故無從判別。「幽室一已閉，千年不復朝」。只有等待地下材料的發掘。

卦爻辭含有古史故事外，還含有其它一些事。《同人》、《師》是寫戰爭一些情況。「同人於野」、「同人於門」、「同人於宗」、「同人於郊」、「同人」即是軍隊。野、門、宗、郊，即是軍隊聚集的場地，或作戰爭準備，或是戰爭的設施。「伏戎於莽，升其高陵」。或伏兵於草莽中，或居高臨下，這裏泛指靈活用兵之策。「乘其墉，弗克，攻吉」。攻人之城，已登其城牆，而守者未退，城猶未下，則繼攻之，不使對方有繕修之暇，必能攻下。「師出以律，否藏凶」。師必須有紀律，不遵守紀律則凶。

《困》卦談到刑獄，「臀困於株木，入於幽谷，三年不覿」。幽谷指牢獄。其人之臀部受刑杖，且囚於牢獄，三年不得見人（這裏「三」或泛指多）。

《革》、《井》、《訟》，談到貴族壓迫人民，人民進行反抗。

《比》、《否》、《訟》、《遯》、《萃》等卦，寫貴族內部矛盾鬥爭。一些人排除異己陷害賢良，一些人盡瘁國事反受排擠，甚至被迫投河自殺，或者隱遁不仕。這種局面或發生在周室淪亡之前夕。

第二節　社會史料

聞一多著《周易義證類纂》：「以鉤稽古代社會史料之目的解周易，不主象數，不涉義理，計可補苴舊注者數十事。刪汰蕪雜，僅得九十。即依社會史料性質，分類錄出」。聞一多分類，錄之如下：

㈠有關經濟事類。包括器用、服飾、車駕、田獵、牧畜、農業（雨量附）、行旅。

㈡有關社會事類。包括婚姻、家庭、宗教、封建、聘問、爭訟、刑法、征伐（方國附）、遷邑。

㈢有關心靈事類。包括妖祥、占候、祭祀、樂舞、道德觀念。

㈣餘類。

又據李鏡池《周易筮辭考》對卦爻辭所含史料的統計：

㈠行旅。泛敍行旅的已近百條，若包括商旅、涉川、賓見、遷徙等，不下二百條。古人多於出外，這種事非常愼重。

㈡戰爭。包括征伐與寇敵言之，不下八九十條。「征」字凡十八見。

㈢享祀。有二十條。
㈣飲食。有三十多條。
㈤漁獵。十九條。
㈥牧畜。十七條。
㈦農業。兩三條。
㈧婚媾。有十八條。
㈨居處及家庭生活。約有二十餘條。
㈩婦女孕育。三條。
(十一)疾病。七條。
(十二)賞罰訟獄。約十餘條。

從上述社會史料的分類和統計，我們讀《周易》便可了解到當時社會的生產、生活、民情、風俗等多方面的情況。這些史料多半是周民族由岐山向東遷移遊牧生活時的實錄。在東遷過程中，歷經艱難困苦和戰爭。天天靠占筮來指示吉凶。另一方面，從西向東遷移是緩慢的，生活暫時處於穩定狀態。占筮如實地記載了社會生活內容。

研究上古史的人，研究社會史的人，從中可得到《周易》特有的實錄資料。然而一般讀者，似乎更着重於文化觀念，對周代的衣、食、住，是不大過問的。但是社會實際生活，又影響着古民的思想。

如出土的商代銅器，十之九爲酒器。我們除研究酒器本身的藝術價値和工藝水平外，將作一種横向比較。在世界古史上，商是較文明、也是文化發達的國家。然而條件太優越了，如飲酒的風氣很盛，就是當時一種生活的反映。周滅商，是強悍的民族，對文化高的民族的一種侵略。周民族固有的文化很少，是接受了商的文化。以文字言之，商周非一民族，而竟同文字。可能周民族本無文字，後與商文化接觸，而用商的文字。

《周易》卦有《旣濟》、《未濟》。「濟」即渡水，因已產生了渡水的工具。

《泰》九二爻辭：「包荒，用馮河，不遐遺」。

據聞一多考證，包荒即匏瓜，包讀若匏。「包荒，用馮河」即以匏瓜渡河。「不遐遺」，不遐，不至也。遺，讀若隤，墜也。言以匏瓜濟渡，則無墜溺之憂。

《莊子·逍遙遊》：「今子有五石之瓠，何不慮以爲大樽？」瓠即匏瓜。司馬注：「慮猶結綴也」，即縛繫之意。樽，南人所謂腰舟。司馬彪說：「樽如酒器，縛之於身，浮於江湖，可以自渡」。

商的酒器與周的「包荒」比較，雖都是用器，但我們看到周民族是一種新興的民族，與商民沉酣於酒者不同。

《豫》卦辭：「利建侯行師」。這裏「豫」，當讀若象，謂「象舞」。以舞名作卦名，是很有意味的一件事。「建侯行師」是舞的內容，即舞中所象之事。其具體情況現在尙無材料可知，但必是奮發的一種武舞。《象》傳說：「雷出地，奮豫，先王以作樂之德，殷薦之上帝，以配祖考」。奮者，振也。奮豫，猶振象，謂樂容。所以這種舞是周民族文化觀的一種表現。《墨子・三辯》篇說：「武王勝殷殺紂，環天下自立以爲王，事成功立，無大後患，因先王之樂，又自作樂，命曰象」。「象」字一作「予」。「象舞」是武王時所作。

社會史料「婚姻」一項言之，它保存了原始社會的婚姻遺風，這是研究上古社會風俗不可少的資料。

《睽》上九爻辭：「睽孤，見豕負塗，載鬼一車，先張之弧，後說之弧，匪寇，婚媾」。

睽，乖也。睽孤，即旅行在外的遊子。說，讀爲脫，放下。大意是：旅人見豬伏於道中，更有一車，衆鬼乘之。他們張弓要射旅人，後來又放下了弓，原來他們開個小小的玩笑。他們不是寇賊，而是化裝打扮的人，他們在迎娶啊！

《賁》初九爻辭：「賁其趾，舍車而徒」。

賁，裝飾。趾，脚趾，這裏代替脚。迎親時，把脚裝飾起來，徒步而走，不坐車。這是古代迎娶的一種風俗。

《屯》六二爻辭：「屯如邅如，乘馬班如，匪寇，婚媾」。

大意是：突然來了許多人，他們乘着馬兒，忽而轉行，忽而回旋，熱熱鬧鬧。這些人不是強盜，他們把新娘搶在馬背上，這是一種迎娶啊！

《屯》上六爻辭：「乘馬班如，泣血漣如」。是說：畢竟搶了婚了，看男的多麼威風，女的不願意，哭得非常悲慘。《詩・七月》：「我心傷悲，殆及公子同歸」。也有這種掠婚的意味。《東川府志》載「爨蠻」的婚俗說：「……壻及親族，新衣黑面，乘馬持械，鼓吹至，兩家械而鬥。壻直入松屋中，挾婦乘馬疾驅走。父母持械杓米漸澆壻，大呼親族同逐女，不及怒而歸。新婦在途中，故作墜馬狀，新郎挾之上馬三，則諸爨皆大喜，即父母亦以爲是爨女也」。爨是雲南少數民族，而東北鄂溫克族在過去仍盛行這種風習。《周易》所記載是原始社會中期的對偶婚，親迎時擧族都去的。這與搶刼女性不一樣，故有「匪寇，婚媾」的說明。

第三節　卦爻辭中的生活氣息

將《易》和《詩》聯繫起來研究，許多學者開創了這麼一條路。《易》和《詩》的比較研究，不僅是必要，而且是必然。因爲《易》的一些韵文和《詩》的詩，不是相似，而簡直是同等。從生成時代來說，二者都產生在西周初年到春秋時期的數百年間。從語言來說，《易》之一些韵文編入《詩》是完全可以的，會使你眞假難辨，或以假亂眞。下面是摘抄自《陸侃如古典文學論文集》的一張表格：

《易卦爻辭》	《詩　經》
1. 或躍在淵。（《乾》九四）	1. 或潛在淵。（《鶴鳴》）潛逃于淵。（《四月》）
2. 其血玄黃。（《坤》上六）	2. 我馬玄黃。（《卷耳》）
3. 大君有命。（《師》上六）	3. 我聞有命（《揚之水》）
4. 既雨既處。（《小畜》上九）	4. 既優既渥，既霑既足。（《信南山》）
5. 其亡！其亡！繫于苞桑。（《否》九五）	5. 其雨！其雨！（《伯兮》）集於苞桑。（《鴇羽》）
6. 大車以載。（《大有》九二）	6. 大車檻檻。（《大車》）
7. 觀國之光。（《觀》六四）	7. 邦家之光。（《南山有臺》）
8. 王用出征、……獲匪其醜。（《離》上九）	8. 王于出征。（《六月》）執訊獲醜。（《采芑》）
9. 受茲介福。（《晉》六二）	9. 報以介福。（《楚茨》，《甫田》）
10. 君子于行。（《明夷》初九）	10. 君子于役。（《君子于役》）
11. 婦子嘻嘻。（《家人》九三）	11. 以其婦子。（《甫田》，《大田》）
12. 飲食衎衎（《漸》六二）	12. 嘉賓式燕以衎。（《南有嘉魚》）

《易》的一些韵文，等同於《詩》的詩。二者更多的是表現一種時代氣息。因爲在六經中《詩》

以寫性情，《書》以道政事。即《書》之所言，乃政事興革之大端；而於民情之憂喜，風俗之美惡，則《詩》實備之。

《論語・陽貨》說：「詩可以興，可以觀，可以羣，可以怨」。《詩・大序》幷舉「治世之音安以樂」，「亂世之音怨以怒」，「亡國之音哀以思」。從詩中表現一種時代氣息，而這也是研究周代社會史不可缺少的。

然而《周易》的詩畢竟很少，因爲它不是像《詩經》那樣的詩歌總集。但是我們從木中可以想見其森林；同樣，從《詩》的森林中，也可以想見《易》的木。

《明夷》初九爻辭，即是一首詩：

明夷于飛，垂其翼。

君子于行，三日不食。

比較《詩經・鴻雁》篇：

鴻雁于飛，肅肅其羽。

之子于征，劬勞于野。

兩者都是起興式的詩歌，都是寫「行」或「征」之苦。古人視出行爲最辛苦最可怕的事。卦爻辭中常用「往」、「行」、「涉川」，很重視這些事。現代人以外出爲普普通通的事，和古人不同。詩歌與直敍其事不同，我們感受到周民的一種情緒，一種精神狀態。

「明夷」二字當是成語，《易》取以爲卦名，如「同人」、「歸妹」之類。但是這個成語失傳了，所以現在我們無法知道它的確切意義。這裏的「明夷」是鳥的名字，這是和《詩經》中的詩比較得到的。

《詩經》中類似此詩，還可擧出一些，如：

燕燕于飛，差池其羽，
　之子于歸，遠送於野。……
燕燕于飛，頡之頏之，
　之子于歸，遠于將之。……
燕燕于飛，下上其音，
　之子于歸，遠送於南。……《燕燕》

雄雉于飛，泄泄其羽，
　我之懷矣，自詒伊阻。……
雄雉于飛，下上其音，
　展矣君子，實勞我心。……《雄雉》

倉庚于飛，熠燿其羽，

之子于歸，皇駁其馬。……《東山》

振鷺于飛，于彼西雝，

我客戾止，亦有斯容。……《振鷺》

卦爻辭的時代，是在詩極力發展的時代，在這樣的潮流中，卦爻辭受詩的影響。但易學家是把《易》捧到天上去的。即使「明夷」詩，易學家也曾給予莫名其妙的解釋。

再舉一首詩，是《中孚》九二爻辭：

鳴鶴在陰，其子和之。

我有好爵，吾與爾靡之。

今錄李鏡池的疏解：

「鳴鶴在陰，其子和之」。「在陰」類於《詩》「鶴鳴于九皋，聲聞于天」之言。「其子」一定不是雛鶴，雛鶴大概不懂得怎樣「和」，這定然是指一雌一雄的鶴。你聽，一對鶴兒在「陰」地裏藏着，很和諧的一唱一和。這是多麼有意思呵，尤其是聽在情人們的耳朵裏。於是乎豪興勃發，說：「我有好爵，吾與爾靡之」。翻成現代語是「我有很好的陳酒，咱們共醉一場罷！」爵是酒杯，代表酒。「吾與爾」，我們很可以想像出一對青年男女來。

這確是一首情詩，誰說不是呢！《春秋繁露・精華》篇說：「《詩》無達詁」，「《易》無達言」。這裏談詩是多義的，語言是含蓄的，一首好詩，可以多方面去索解。然而不管如何理解，我們都感受到周代的一種生活氣息。《周易》中一些韵文和詩，完全可以按讀《詩經》的方法去閱讀。

胡適在《中國哲學史大綱》卷上，將《詩經》產生的時代叫做「詩人時代」。那個時代的思潮，大概分為「憂時派」、「厭世派」、「樂天安命派」，「縱欲自恣派」，「憤世派」。作為政治的考察，尤其在周淪亡的前夕，貴族之間的爭鬥，國與國之間的戰爭，連綿不斷。但是也有暫時穩定的狀態，這時人民得以休養生息。作為社會史料，《周易》反映了動亂與安定多方面的情況。

第七章　略述《周易》哲理

《易傳》是對《易經》最古的注解、說明和發揮。各篇觀點不盡相同，大抵完成於秦漢之際。《易傳》強調事物的變化和發展。把世間最根本的規律概括爲陰陽對立面的交互作用。還認爲人必須「待時而動」，順應客觀規律而「自強不息」，表現出積極進取精神。《易傳》使《易經》由占筮而變爲哲學著作。這裏簡略談談《周易》的哲學內涵。

第一節　談　天

《論語》談天，《周易》談天，作一番比較，兩個天是不一樣的：

子曰：「獲罪於天，無所禱也」。《八佾》

夫子矢之曰：「予所否者，天厭之！天厭之！」《雍也》

子曰：「天生德於予，桓魋其如予何！」《述而》

子曰：「吾誰欺，欺天乎？」《子罕》

子曰：「噫！天喪予！天喪予！」《先進》
孔子曰：「君子有三畏：畏天命，畏大人，畏聖人之言」。《季氏》
據此可知《論語》中孔子所說之天，完全係一有意志的上帝，一個「主宰之天」。
我們再看《易》中所說之天：
「大哉乾元，萬物資始，乃統天。雲行雨施，品物流形。大明終始，六位時成，時乘六龍以御天。乾道變化，各正性命。」《乾・象》「反復其道，七日來復，天行也……復其見天地之心乎？」《復・象》
「天地感而萬物化生」。《咸・象》
「天行健，君子以自彊不息」。《乾・象》
「大哉乾乎，剛健中正，純粹精也；六爻發揮，旁通情也；時乘六龍，以御天也；雲行雨施，天下平也」。《文言》
「天尊地卑，乾坤定矣。……在天成象，在地成形，變化見矣」。《繫辭》
在這些話中，決沒有一個能受「禱」，能受「欺」，能「厭」人，能「喪斯文」之「主宰之天」。這些話裏面的天或乾，不過是一種宇宙力量，至多也不過是一個「義理之天」。
《周易》的天是自然的「天」，是自然界運動的法則或規律，是宇宙力量。然而，以天喻人事，就走向哲學了。

《泰・象》：「泰，小往大來、吉，亨。則是天地交而萬物通也；上下交而其志同也；內陽而外陰，內健而外順，內君子而外小人，君子道長，小人道消也」。

「內陽而外陰」，陽氣進入宇內，陰氣退出宇外，此是自然界之泰。

「內健而外順」，內有剛健之德，外能順乎潮流、時勢，這是人事之泰。

「內君子而外小人」，重用有誠之士，排除對國對民有害之人，這是國家之泰。

「上下交而其志同也」，天地相交是自然界之泰。喩之人事，則上下同心，志同道合是人事之泰。

《泰・象》：「天地交，泰。後以財成天地之道，輔相天地之宜，以左右民」。泰䷊的卦象是天地之交。財，裁也。以天地變化的規律，制訂政令，輔助天地之所宜，使民從事活動，有所依據。如生產勞動，則因野而田，因材而工，因山而獵，因水而漁，因四時而耕耘。

《繫辭上》：「辭也者、各指其所之。易與天地准，故能彌綸天地之道。仰以觀於天文，俯以察以地理，是故知幽明之故」，「與天地相似，故不違」。

卦爻辭在指導人們的行動。所以如此，因爲《易》包絡天地的變化規律。

「天地變化，聖人效之」。

仿效天地變化規律，而歸納出人事變化的規律。

以上所述，是東周關於天的觀念。而西周主要還是承襲了殷商的天的觀念。這裏談及原始宗教、宗教是人類文化的一部分，從宗教的途徑上，可以看出古人關於天的觀念，可以看出民族文化進展的痕跡。研究民族文化，研究古代哲學，不得不涉及宗教，不得不涉及天。

虔誠祀天的人，天必眷顧著他，這是一種牢固的宗教信仰。《洪範》裏記箕子的話說：

我聞在昔，鯀陻洪水，汨陳其五行，帝乃震怒，不畀洪範九疇，彝倫攸斁，鯀則殛死，禹乃嗣興，天乃錫禹洪範九疇，彝倫攸敍。

九疇是夏代的九條治國大法。賜給禹而不賜給鯀。明明寫出一個有意志而能施賞罰的天帝。

祀天起於「封禪」。《管子》歷說七十二家封禪、其中包括夏禹、商湯、西周之成王。在泰山築壇祭天叫做「封」；在梁父除地祭地叫做「禪」。《大戴禮・保傅》：「封泰山而禪梁父」。《白虎通》：「增泰山之高以報天；附梁甫之基以報地」，亦指封為祭天，禪為祭地。商朝在祀天之外，又信鬼。西周自周公制禮作樂，對於祀天的禮節格外隆重，這是對主宰之天，或天帝的虔誠。

所以在武王伐紂的時候，牧野誓師的言論中有「今予發惟恭行天之罰」的話。這不是說說而已，而是對有意志之天的絕對信賴。衆人亦以「上帝臨汝，無貳爾心」來鼓勵武王。周公勸戒成王，也以主宰的天而言之：「有命自天，命此文王，于周于京，……篤生武王，保佑命爾，變伐大商」（《詩・大明》）。後代周公攝政，討伐管、蔡，以天命不易的道理告誡諸侯，在《書・大誥》中說：「迪知上帝命，粵天棐忱，爾時罔敢易定，矧今天降戾於周都？爾亦不知天命不易？」這即說明凡事都由天定，應當順從天命。

但到了東周，時局發生變亂。前八世紀、前七世紀、前六世紀，這三百年可算得一個三百年的長期戰爭。一方面是北方戎狄的擾亂，一方面是南方楚吳諸國的勃興。中原的一方面，這三百年之中，那一年沒有戰爭侵伐的事。人民不得安定，感受著戰爭以及水旱災荒的痛苦，對於有意志的天，主宰的天，發生了懷疑。像《詩・節南山》：「昊天不傭，降此鞠凶，昊天不惠，降此大戾，不平昊天，亂靡有定」。「昊天不平，我王不寧」。《詩・雨無正》：「浩浩昊天，不駿其德，降喪饑饉，斬伐四國」。「如何昊天，辟言不信？」《詩・蕩》：「疾威上帝，其命多辟，天生蒸民，其命匪諶」。這是周民由懷疑天，而詛咒天，對天的觀念改變了。加以古代學者們的自由思想和言論，自古相傳的有意志而具人格的天，竟根本動搖了。

把古代有意志的天，主宰的天，根本加以否定的是道家的老、莊。他們以自然爲宇宙本體，自然是機械的，自然是運動的。老子說：

「天地不仁，以萬物爲芻狗。」（五章）

「芻狗」，用草紮的狗，作爲祭祀時使用，用完則棄之。林希逸說：「芻狗之爲物，祭則用之，已祭則棄之。喻其不著意而相忘爾」。錢鍾書說：「芻狗萬物，乃天地無心而不相關，非天地忍心而不憫惜」。（《管錐篇》第二册，四一九頁）王弼註：「天地任自然，無爲無造，萬物自相治理，故不仁也。仁者，必造立施化，有恩有爲」。陳鼓應註：「天地不仁：天地無所偏愛。即意指天地只是個物理的、自然的存在，並不具有人類般的感情。萬物在天地間僅依循着自然法則運行著，並不像有神論所想像的，以爲天地自然法則對某物有所愛顧（或對某物有所嫌棄），其實這只是人類感情的投射作用罷了！」

《莊子·天運》篇說：

天其運乎？地其處乎？日月其爭於所乎？孰主張是？孰維綱是？孰居無事推而行是？意者其有機緘而不得已邪？意者其轉運而不能自止邪？

陳鼓應譯文是：「天在運轉嗎？地在定處嗎？日月往復照臨嗎？有誰主宰着？有誰維持着？有誰安居無事而推動着？或者有機關發動而出於不得已？或者它自行運轉而不能停止？」

莊子稱天的機械運轉叫「天均」、「自生」、「自化」。老莊的天是天均的天，而不是昊天。老子提出一個「道」字來替代，莊子提出一個「自」字來替代，表明天地不過是一部大機器。既然把它開了，便沒有人把它停止。四時的運行，萬物的變化，無非是這大機器行動發生的現象，並沒有什麼意志作用。

《周易》的「天行」也是把天看作自然之天，機器之天。

荀子直捷爽快地否定天的意志，與老、莊、《周易》的「道」、「自」、「天行」觀念一致。蔡元培在《中國倫理學史》說：「荀子以前，言倫理者，以宇宙論爲基本，故信仰天人感應之理。……至荀子以後，則劃絕天人之關係，以人事爲無與天道，而特爲各人之關係」。這話很扼要。儒家思想由孔子對天的懷疑論到荀子徹底否定有意志之天的存在，是儒家思想的演進。荀子在他的《天論》中明確地揭示了自己的觀點，這可以看作《周易》「天行」觀念的註釋：

> 天行有常，不爲堯存，不爲桀亡。應之以治，則吉；應之以亂，則凶。彊本而節用，則天不能貧；養備而動時，則天不能病；修道而不貳，則天不能禍。……故明於天人之分，則可謂至人矣。

在荀子看來天及其運動變化規律是客觀存在，不爲堯或桀而存亡。人要認識這種自然天的變化規律，掌握這種規律。明辨天和人的區別，即明辨無意志的天和有意志的人的區別。能如此認識者，才是「主人」啊！

荀子在《天論》中進一步指出：

> 不爲而成，不求而得，夫是之爲天職。如是者，雖深，其人不加慮焉；雖精，不加察焉。夫是之謂不與天爭職。天有其時，地有其財，人有其治。夫是之謂能參，舍其所以參而願其所參，則惑矣。

職，執掌也，凡官事皆曰職。天職，天之所執掌，而非人之所執掌。人無爲而能求其成功，這叫做天職（自然職守，任其自然）。其中之道雖深，雖大，雖精細，但對人的行動毫無價值。因爲它使人不去思考，不發揮自己的能力，不明察萬物。天保持着時，地保持着財，人保持着治，這叫做「參」（參與天職，任其自然）。一切都保持著，這樣的人實在迷惑啊！

荀子的學說淵源於儒家，荀子也以繼承孔子學說自居。但他批判儒家、墨家的「賞善罰惡」的有意志的天。荀子接受老、莊的無意志的天的觀念，但又改正在老、莊哲學中任其自然、安命守舊的天道觀。

荀子《天論》是《周易》天的觀念的最好註釋；而《乾·象》傳：「天行健、君子以自強不息」是荀子《天論》的一種疏解。

《乾》卦爲《易》卦之首，是一部《周易》的綱領。「乾」代表自然的天，無意志的天，機械的天；而不是主宰的天，有意志的天，神秘莫測的天。聞一多對「乾」字的考證，可以說是他對《周易》的最大貢獻。對「乾」字的解釋，來自他對中國古文化認識的深厚根基。這種解釋完全是周人的觀念，而不是後人的一些附會的觀念。今錄聞一多釋「乾」：

卦名之乾，本當爲斡（並從倝聲）。斡者轉之類名，故星中北斗亦可曰斡。古人想像天隨斗轉，而以北斗爲天之樞紐，因每假北斗以爲天體之象徵，遂亦或變天而言斡，《天問》：「斡維焉繫」，猶《淮南子·天文》篇：「天維絕」矣。《說文》乾之籀文作[illegible]從晶，蓋與晶同，晶古星字。疑乾即北斗星名之專字。商亦星名也，其籀文作[illegible]，卜辭作[illegible]，並從晶，與乾同意，足資取證。《易緯逸象》乾爲旋，旋斡義同。《史記·天官書》曰：「北斗七星，所謂旋璣（機）玉衡以齊七政」。乾爲旋，北斗謂之旋機，此亦乾即北斗之旁證。《說卦》傳曰：「乾，西北之卦也」。蓋乾即北斗，而戰國以來天官家謂天庭在崐崘山上，則北斗當中國之西北隅，故《說卦》傳云然。

乾是星名，是北斗的專字，而北斗是天體旋轉之樞紐。古人認識天體是一個旋轉體，以北斗七星爲樞紐來旋轉，即「天隨斗轉」。北斗又稱旋機，而古時測天文之器借此名也稱作旋機。《漢書·律曆志》：「佐助旋璣、斟酌建指，以齊七政」，七政是日月與五星。《乾》卦凡六言龍：「潛龍」、「見龍在田」，「或躍在淵」，「飛龍在天」，「亢龍」、「見羣龍無首」，皆指龍星。到西漢中葉以後漸漸有緯書的出現，《春秋緯》中有《命曆序》，本書早已亡佚。它不滿於有巢、燧人、伏羲、女媧、神農等的傳說，而創造出另一種古史系統。其書雖亡，但在《廣雅》、《金樓子》、《禮記正義》、《三星本紀》、《通鑑外紀》、《路史》各書裏面有所引見。此一系統也有一種天的觀念，他們設想日、月、星辰不會是亂七八糟，而是排列得很有秩序，而且據此推演曆法。這種觀念也是來自周人的天的觀念。周人以乾（北斗星）代表天，是對物質的天的基本認識。且天是運動的，是秩序井然的。

然而《周易》並沒有單純的僅止於自然的天，機械的天，而是將天引向哲理化。所以《周易》談天有兩大特色：

第一，「大哉乾元，萬物資始，乃統天」。肯定天的創造力充塞宇宙，流衍變化，萬物由之而出。

第二，強調人的內在價值。翕含闢弘，妙與宇宙秩序合德無間，即「夫大人者，與天地合其德，與日月合其明，與四時合其序，與鬼神合其吉凶，先天而天弗違，後天而奉天時」（《乾・文言》）。

現代人不必太多的關心天，對天的意識愈來愈疏遠。然而蒙昧之世的周代人，却非常重視天，他們從天吸收了豐富的營養。

第二節　易　教

這裏談兩個問題：

其一，卦爻辭的判斷是必然命題。

其二，神道設教。

一

我們想歸納一個釋卦通例。即在占筮中如何判斷吉凶？是吉，還是凶？《繫辭下》所談的一種判斷：「二與四，同功而異位，其善不同。二多譽，四多懼，近也。柔之爲道不利遠者。其要無咎，其用柔中也」。

這即是象數之說。高亨說：「《易傳》常以象數解經，而象數之說，不易掌握，不易記住。古人註《易》，爲省筆墨，對於象數，往往既述於前，則略於後。此體例未嘗不佳，而讀之實感困難，非反覆誦習，不能貫通」。我的看法是：卜師斷卦，往往隨機應變，可以這樣解釋，也可以那樣解釋。規定一些象數規則，實際是應變的機制。《易傳》作者既不能歸納出一種通例，只有取其所需而作注，而非「既述於前，則略於後」。而「反覆誦習」能附合當時卜師的某種解釋，也就「貫通」了。

下面是對注家所注的一些疑問：

「二與四，同功而異位，其善不同。二多譽，四多懼，近也」。韓康伯註：同功，「同陰功也」。異位，「有內外也」。試問難道理解成上下之位就不通嗎？高亨註：「功，事也」。「第二爻與第四爻，其爻位之序數均爲偶數，偶數爲陰數，陰爲柔，因而此兩爻皆爲陰位」。這又是按上下之位釋之。「處於陰位，則以柔順從命爲事，故曰二與四同功」，「此言第二第四兩爻均爲吉善，因其同功也」；但其吉善不同，第二爻爻辭多譽，第四爻爻辭多懼，因其爻位有遠近也」爲何同功就是吉善？這裏似乎是有前提的，即「以柔順從命爲事」。否則雖處於陰位，也不吉善。這就動搖了以爻位斷吉凶的概念。爲何爻位有遠近，就表示譽和懼？高註還有一解：「第二爻居於內卦在近處，故多譽。第四爻居於外卦在遠處，故多懼」。以爻之上下位之分，與內外卦之別，似乎說通了，然而仍然聽不明白。韓註：「位逼於君，故多懼也」。葉瑛也說：「此指陰爻處於臣位，故在下多譽，在上逼近君，多懼」這似乎說通了。以上韓註和高註，祇說明第二第四兩爻是陰位，即：

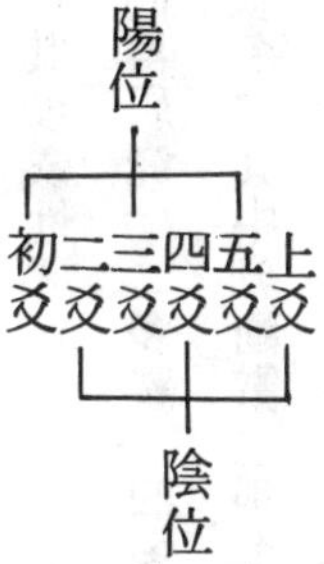

而對二爻、四爻本身是陽「⚊」呢？還是陰「⚋」呢？沒有指明。葉瑛指出是陰「⚋」爻，以圖示之：

三爻——臣位
初爻

但是章學誠又提出一說：「嚴天澤之分，則二多譽，四多懼焉」，即上天☰，下澤☱，合成履☰☱。那麼，第二第四均是陽「一」爻，也是「二多譽，四多懼」。這裏我不是揭示各種註說的矛盾性，而是揭示其多義性。

我們再研究「二多譽，四多懼」這種判斷就確定不移嗎？也不見得。我們推測，最初的占卜辭數量一定很多，其中判斷辭也很多，輯成《易經》是極少量的。《易傳》作者注此極少量的《經》文，是就事說事，而非通例。

「二與四，同功而異位」，我們可以簡單理解爲：二與四爻位不同，但判斷事物，具有同一功能，可靈活合參之。或可理解爲：二與四爻位不同，但判斷事物，可以在某一系統中考察之。這些系統如：〈陰位、陽位〉系統；〈君位、臣位〉系統；〈同位〉系統；〈上位、中位、下位〉系統；也可以是〈陰位、陽位、君位、臣位〉合成系統，等等。

卜師判斷吉凶，是隨機性和任意性，非常靈活。從邏輯學考慮，可以歸納出一條釋卦通例：

對於一件件事實，可以毫無表示；對於另一些事實，却表示之。對於無所表示者，所以它不能假；對於所表示者，所以它必眞。

這種判斷無以名之，或名爲「必然命題」。

所以說卜師和「聖人」是聰明人，不但愚弄下民，也愚弄皇上。而後代人更糊塗，把《周易》完全看作占卜之書，從而否定它的價值。

二

即使斷占之辭在《易經》中也是既嚴格又靈活、既確定又隨機。首先將斷占之辭作一紹介。高亨在《周易古經今註》中說：「《周易》一書，所用表示休咎之字凡七：曰利、曰吉、曰吝、曰厲、曰悔、曰咎、曰凶。此七者，皆《周易》中常見之詞，亦重要之詞也」。又說：

「吉者，福祥也；吝者，艱難也；厲者，危險也；悔者，困厄也；咎者，災患也；凶者，禍殃也」。

以「厲」字爲例。厲是危險，但「厲无大咎」，即雖然危險，但沒有太大的災患。「貞厲終吉」，即雖然卜得危險，但最後還是吉利，轉不利爲有利。顧頡剛從全部《易經》中歸納出一個以「厲」作斷占之辭的結構：

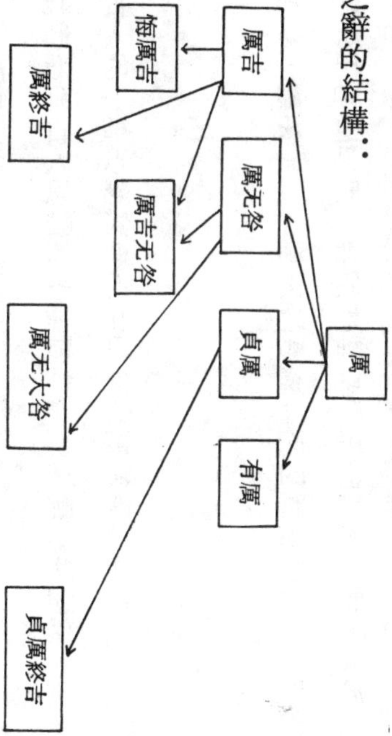

我們看到古人思維的一種軌迹，要理解這些關係，只能按照思維的線索一步步進行。這裏我們感受到古人的一種思維條理性和思維的邏輯性。作爲判辭，又具足夠的靈活性。

三

《易・觀象》：「觀天之神道，而四時不忒、聖人以神道設教而天下服矣」。王夫之解釋：「《觀》之象曰神道設教，非假鬼神以誣民也，不言而誠盡於己，與四時者順理而自然感動，天下服矣」。「自然感動」應理解爲與自然變化之順應。「非假鬼神以誣民」，是對神的徹底否定。實際王夫之非對《易》語義上的疏解，而是有某種針對性，是對後世注《易》，將「神道」的「神」注爲「神靈」的「神」而說的。就《易》「神道」之本來語義，「神」是「神妙變化」之義，這是基於《周易》的宇宙本體論和天道觀。「神道設教」是說：取法天道的神妙變化，而對百姓進行教化。

章學誠《文史通義・易教上》：「《易》以道陰陽，願聞所以爲政典，而與史同科之義焉。曰：聞諸夫子之言矣，『夫《易》開物成務，冒天下之首』，『知來藏往，吉凶與民同患』，其道蓋包政教典章之所不及矣。象天法地，』是興神物、以前民用』，其教蓋出政教典章之先矣」。章氏所說極是。章氏提出「六經皆史」，六經是「先王之政典」。就《易經》言之，施教於民更在有政典之先，且其施教內容，又爲政教典章所不及包容。《易》的這一占卜「神物」是預卜吉凶，爲民所用，其目的是施教於民。教化有心理學、教育學、哲理的含義。哲理之爲哲理，不一定要靠大題目，就是日常生活中所常用的概念，也可以有很精深的分析，而此精深的分析，就是哲理。所以章氏又說「古人未嘗離事而言理」。《易》寓哲理於事實之中。《易經》由占卜而哲理化，也就是基於本身的哲學內涵。後世的「詭異妖祥、讖緯術數」，如以陰陽五行生剋之理，以推知人事吉凶者，絕不能與《易》之占卜相提並論。

《易》之占卜，以《易》象說事，章氏又比作《詩》之比興；且其辭通於《春秋》之例。比興是《詩經》的表現手法。「索物以托情謂之比，情附物也；觸物以起情，謂之興，物動情也」（明楊愼《升庵詩話》）。卦象是借物托意念，或謂之比；而借卦象、興聯想，而判斷占卜之吉凶，或謂之興。《春秋》是「經世之書」，《易》也是「經世之書」。《易》以陰陽消長，象徵治和亂，象徵人事進和退，且「其所爲吉、爲凶、爲晦、爲吝，言之至詳且悉，以通天下之志，以定天下之世，以斷天下之疑」（戴名世語）。所以說「《易》辭通於春秋之例」。

概括言之，㈠占卜是爲了教化於民，所謂「神道設教」。㈡占卜取象之說，又通於《詩》之比興，這裏沒有任何神秘色彩。㈢卜師判斷人事之吉與凶，得與失，進與退，舉事之可與否，等等。先是分析而取象說事，所以「取象說事」是必然命題。以愚弄下民以及皇上，取得其相信。㈣《易》「未嘗離事而言理」，而是寓哲理於事實之中。

第三節　論　時

何謂「時」？《周易》的時的概念，其本質在於變易；其形式即先後遞承，連綿不絕。《周易》哲理是在動態中去考察天地之道及其秩序，所謂「《易》與天地準，故能彌綸天地之道」。

中國形上學所烘托的人格類型，方東美分作三類：儒家尙「時」，是「時際人」（Time-man）；道家崇尙「虛」、「無」，是典型的「太空人」（Space-man）；佛家尙「不執」與「無住」，則是兼「時」與「空」。

《周易》哲學之立論，是在時間歷程中去實現人的價值。強調「時止則止，時行則行，動靜不失其時，其道光明」（《易·艮象》）。「時止則止，時行則行」，是掌握勢；「動靜不失其時」是掌握時。

《周易》將一切事物，舉凡自然之生命、個人之發展、社會之演變、價値之體現，一律投注於時間鑄模之中而呈現其眞實存在。換言之，《周易》的「時」的概念，不是年、月、日等計量單位。人是存在性的，是歷史的存在，這是《周易》所闡述的人的本源性存在方式。將時間和歷史觀念，引入對人、對存在的理解，這是《周易》哲學對「時」的深切含義。

「大明終始，六位時成，時乘六龍以御天，乾道變化，各正性命，保合太和，乃利貞」（《易·乾象》）。太陽駕六龍及時運行於天空，而萬物以及人類及時而行動，這也是闡明動靜不失其時。《乾》卦的「龍」本來是龍星。但中國字的內涵是複雜的，融合着各種文化觀念，在不同時代，不同思想背景下，給予不同意義。龍在後世做爲皇權的象徵，但在《易傳》中却是時間的象徵。

「君子進德脩業，欲及時也」（《乾·文言》）。進德修業應及時而動。《周易》討論世界或宇宙，不執着於自然層面，而是闡明社會，人際關係，人生的實際狀態。《乾》卦是談天的，《文言》傳却是談人生實際狀態。「進德修業」即是一種「超化」，且不斷超化之：

對儒家而言，超化之，成爲道德宇宙。對道家而言，超化之，成爲藝術天地。對佛家而言，超化之，成爲宗教境界。

方東美說：「自哲學眼光曠觀宇宙，至少就其理想層面而言，世界應當是一個超化的世界。中國形上學之志業即在於通透種種事實，而蘊發對命運之了解與領悟。超化之世界即是深具價值意蘊之目的論系統」。這三種目的論系統，道家、佛家自有其哲學內涵，且儒家思想與佛家思想在精神上有高度之契合。但儒家更着重於實際的人生。《周易》立論於儒家，使人生社會價值達到最完善境界。而非遊於太虛，或皈依宗教。

人生社會價值，各個時代有着各個時代的內容。《周易》不能預測未來，更不能規定某種價值觀，但它提出「天下隨時，隨時之義大矣哉」，却是一般命題。這就是說人生社會價值在不同時代賦予不同含義。就此一點考慮，《周易》哲學又區別於儒家哲學。

儒家哲學有人提出是一種哲學的人類學，或者說是哲學的人學。但就其內容如「仁」，如「禮」，如「政」，如「中庸」等等，給人一種「過去時」的概念。儒家是傳統文化的重要學派。但現代人着重於現代意識，而非立足於傳統，從某種意義講，這就通向《周易》，雖然《周易》一書也是傳統文化的典籍。《周易》哲學強調「時」的概念，或注入「時」的概念，即是各時代要着重研究各時代的時代意識。《周易》不是歷史的、「過去時」的哲學，而是「現在時」、「現在進行時」的哲學。這即是其生命力。

我們失去的古代文明——《周易》哲學，應該是復甦的時候了！

第四節　説　象

前已論及、「易」象是《周易》的基本概念。《易經》是記述「卦」的。從而所記述的是卦象，卦象的內容是：

卦象
- 物象
- 意象
- 法象

「仰則觀象於天」，這裏的象是實體，是天象。如天之蒼穹，如日月星辰，都是實體，這些實體以乾☰表之，是物象；「失得之象」，「憂慮之象」，「進退之象」是意象；「山下出泉，蒙，君子以果行育德」，「山下出泉」是物象，引伸爲「君子以果行育德」是意象。「天垂象，聖人則之」，無論物象或意象，聖人仿效之，而制定典章制度、道德規範、行爲準則，那麼物象、意象又謂之法象。

古者庖犧氏之王天下也，仰則觀象於天，俯則觀法於地，觀鳥獸之文與地之宜，近取諸身，遠取諸物，於是始作八卦，以通神明之德，以類萬物之情。

作結繩而爲網，以佃以漁，蓋取諸離（䷝）。

庖犧氏沒，神農氏作，斲木爲耜，揉木爲耒，耒耨之利以教天下，蓋取諸益（䷩）。神農氏沒，日中爲市，致天下之民，聚天下之貨，交易而退，各得其所，蓋取諸噬嗑（䷔）。神農氏沒，黃帝、堯、舜氏作，……垂衣裳而天下治，蓋取諸乾（䷀）坤（䷁）。刳木爲舟，剡木爲楫……蓋取諸渙（䷺）。服牛乘馬，引重致遠……蓋取諸隨（䷐）。重門擊柝，以待暴客，蓋取諸豫（䷏）。斷木爲杵，掘地爲臼……蓋取諸小過（䷽）。弦木爲弧，剡木爲矢……蓋取諸睽（䷥）。上古穴居而野處，後世聖人易之以宮室，上棟下宇，以待風雨，蓋取諸大壯（䷡）。古之葬者，厚衣之以薪，葬之中野，不封不樹，喪期無數，後世聖人易之以棺槨，蓋取諸大過（䷛）。

《繫辭》傳作者的這種提法，不見得都合乎歷史事實，但說明卦象在周代是很重要的概念。研究古代文化，不能不研究卦象，卦象與周人生活實際聯繫太緊密了。然而人認識問題在逐步深化，把「象」又賦于哲學的涵義：

是故闔戶謂之坤，闢戶謂之乾，一闔一闢謂之變，往來不窮謂之通。見乃謂之象，形乃謂之器，制而用之謂之法，利用出入，民咸用之謂之神。

胡適在《中國哲學史大綱》卷上釋解：「那種開闔往來變化的『現象』，到了人的心目中，便成『意象』。這種種『意象』，有了有形體的仿本，便成種種『器』。制而用之，便成種種『法』，舉而措之天下之民，便成種種『事業』。到了『利用出入民咸用之』的地位，便成神功妙用了」。我的看法是：「見」乃「現」之義，凡出現於宇宙者，都謂之「象」。「象」是「道」的顯象或體現；「道」體現爲有形體之物，即是「器」。換言之，「形而上者謂之道，形而下者謂之器」，而「象」是映象「道」的。

中國文字中有兩個特殊的字：「龍」和「象」。龍的起源，一說是圖騰崇拜，一說是太陽神崇拜。十二肖屬中，如鼠、如牛、如虎……十一個是生物，只有龍是古人創造的一種「生物」，實際它並不存在。而象是生物，在古代黃河流域、長江流域確實生存過象。然而古人從生物的象，賦于各種涵義。「龍」是象徵，而「象」經過《周易》的引伸，其內涵極其豐富。假如有人問我，喜歡「龍」？還是喜歡「象」？我的答覆是喜歡「象」。「龍」總使我想到皇權；「象」却使我想到優秀的中國文化。

宏觀上講，中國文字有其特殊性。古希臘文，拉丁文，現在歐洲人能讀者幾？然而中國二千年前之古籍，現代人讀之，文字同，語法同，明白如話。中國字的字義與文化發展相聯繫，一義而多義不斷演變，愈顯其生命力。即以「象」字爲例。如上所述，生物的象，演變爲卦象，演變爲哲學的象，演變爲下面要談的各種含義的象。

象通於《詩》之比興。劉勰說：「觀夫興之托喻，婉而成章，稱名也小，取類也大」。姚際恒說：「興者，但借物以起興，不必與正意相關也」，以鳥獸草木、雨雪風霜、日月星辰興起某種思想感情；

或象徵某種事物、事理，如以雎鳩鳴春求偶，以興起男女對愛情的追求，這裏雎鳩是「象」的作用。樛木是曲木，螽斯是害蟲，以爲象，雖若美之，實含刺意，章學誠說：「雎鳩之於好逑，樛木之於貞淑，甚而熊蛇之於男女，象之通於《詩》也」，說明一點，章氏理解「樛木」意爲貞淑。「《詩》無達詁」每個人理解的角度不相同。

佛家語：「如」。如之義：「如地之堅相，如水之濕相，謂之各各之相，是事相之如也」，這是「如」的一義，即「如」是象這樣子之義。禪宗常講「無我，無住，無著」。既是「無」，那麼如何表達自己的思想感情？如何表達自己對人生、對宇宙的看法？如何表達一種境界或哲理？我們說用「如」的手法來表達。所以後來人論詩，主張要「不著一字，盡得風流」。「寒波澹澹起，白鳥悠悠下」。寒波、白鳥都是實有之物，只把這樣子、這境提出來，這即是「如」。而在這樣子、這境背後，自有無限深意，要讀者自己去體悟。「象」之義又如「如」。

《易》象也通於《莊子》、《離騷》。司馬遷說莊子「善屬書離辭，指事類情」。話雖不多，很值得玩味。「屬書離辭」，說莊子寫文章的高超手法；「指事類情」，即以「象」來闡述其深邃哲理及超然物外之意境。《逍遙遊》中有北冥之鯤，有傳說中的許由，有姑射之山的神人，這都是莊子設置之「象」。旨在說明其透破功、名、利、祿、權、勢、尊、位的束縛，而使精神境界逍遙自在，超脫自如。《離騷》也善屬辭取象：「皇剡剡其揚靈兮，告余以吉故」。王樹枏《離騷註》：「此言神往速行之象……揚靈猶顯其神也」，此注屈子取象。「指九天以爲正兮，夫唯靈脩之故也」，朱熹說：

「靈脩，言其有明智而善修飾，蓋婦悅其夫之稱，亦託詞以寓意於君也」，王樹枬說：「靈脩皆善美之義，稱君爲靈脩，猶稱君爲聖明耳，在君曰靈脩，在臣曰好脩，其義一也」。「忽反顧以流涕兮，哀高邱之無女」，王樹枬說：「此節之意與《遠遊》篇略同……是時懷王入秦不反，故言無女。女以喻君也」。屈子取象「女」，實指君。《詩》之比興與屈子爲文，相去遠之。北人重實際，故其文樸；楚人思想放達，故取象靈活多變。又如《易》之象，多爲天、地、山、澤，屈子取象，如香草、美人、靈禽、龍鳳、駿馬、燕鶴，最爲具象。又如「《離騷》所言賢女以比賢臣。冑子之不肖，則曰蘭蕙化茅。身不得入朝，則曰帝閽不容」。「既至崑崙，忽臨睨夫舊鄉，其祖先發祥之地也，悲從中來，而以僕夫悲余馬懷兮，卷曲顧而不行，是亦比也」（姜亮夫《簡論屈子文學》）。《離騷》結構，是現實與幻想相交織，故其取象，有具象，有人心營構之象，靈活盡變，富瞻而繁複。

來自西域的佛教也是取象說事。「至於丈六金身，莊嚴色相，以至天堂清明，地獄陰慘，天女散花，夜叉披髮，種種詭幻，非人所見，儒者斥之爲妄，不知彼以象教，不啻《易》之龍血玄黃，張弧載鬼。是以閻摩變相，皆即人心營構之象而言，非彼造作誑誣以惑世也。至於末流失傳鑿而實之……以象爲教，非無本也」（章學誠《文史通義‧易教下》）。打開佛學典籍，所取之象，比比皆是。《金剛經》：「一時佛在舍衛國，祇樹給孤獨國」，疏鈔注云：「佛者，梵云婆伽婆，唐言佛，佛者覺也。……悟者即名佛，迷者曰衆生」。文會說：「佛者，梵音，唐言覺也，內覺無諸妄念，外覺不染六塵」。或者說「覺」象是「佛」。西域佛教紀在漢武帝時傳入中國，當時儒家曾視爲與「堯舜周孔之道」相對立的「夷狄之術」，認爲佛家之說「廓落難用，虛無難信」。實際這是一種誤解。佛學取象的背後，有其深邃的哲理。隋唐時代的佛教，各派創立的基礎是大乘般若學。在我國形成宗派有：天台宗、三論宗、淨土宗、唯識宗、律宗、華嚴宗、密宗、禪宗。唯識宗的三種「自相」說，集中地概括了其世界觀和認識觀。後來的「阿賴耶識」說，是唯識宗認識論的發展。「阿賴耶識」梵文原意是「家宅」，有收藏之意。唯識宗看來，「阿賴耶識」是收藏一切世界現象的種子倉庫。所以此倉庫是世界一切現象的總根據。現象之所以千差萬別，完全是因種子性質不同而產生的。那麼，「阿賴耶識」或「倉庫」，即是佛家取象之說。關於種現關係，可概括爲四種情況：種子生種子、種子生現行、現行生種子、現行生現行。哲學觀念的不斷深化，象也在深化。或曰：象有着深化的哲學內涵，而象又是體現着此哲學內涵的。談哲學，一說先秦學術與歐洲、印度古代思想相比類；一說先秦諸子之學皆切實際重應用，與歐洲、印度空談玄理者不同。二說孰是？實際此二說皆是。因爲人類思想發展次序大致相同，而歷史背景不同，又有相異者。

中國本土之學術，是先秦之世諸子百家之學。《周易》是一部重要典籍。南北朝、隋唐之佛學，受諸印度。佛學取象說事，其末流就是神道、鬼道，以象爲實。與中國傳統文化中的象，相去甚遠。《離騷》以香草美人喻忠貞之士；《紅樓夢》以「太虛幻境」喻女兒國。這都是「象」。「象」可以理解成廣義的符號。莊子使用這種符號，荀子使用這種符號，屈原、李白、李商隱使用這種符號，曹雪芹使用這種符號……。這種廣義符號源遠流長，源頭即是《周易》一書。

第五節　憂患

「憂患意識」現在爲一些海外學者所提出，特別是在香港和台灣以及在美國的一些哲學家所共許。而實際「憂患意識」的提出，古已有之。中國古代哲人有着「超然」與「介入」的雙重屬性。「超然」在各個歷史背景下有着不同的含義。但「介入」却是一種深沉的憂患意識。是以社稷國家爲重以及面向人生的入世態度。

《否》卦九五爻辭：「其亡！其亡！繫於苞桑」。這是《易經》的呼聲，使我們聯想到《義勇軍進行曲》，一種憂患感，一種興起的民族感，二者結合在一起，表現爲一種憂患意識。

《繫辭下》：「是故君子安而不忘危，存而不忘亡，治而不忘亂，是以身安而國家可保也」。個人命運與國家命運緊密聯繫，安與危、存與亡、治與亂，對人生與國家大事表現爲一種憂患意識。

《坤》卦初六爻辭：「履霜，堅冰至」。履霜之日、想到堅冰將至之時，這是一種憂患。

《繫辭下》：「《易》之興也，其於中古乎？作《易》者，其有憂患乎？」是以問題提出。實際是讀《易》後，給人一種憂患的感覺，所以才問作《易》是否由於作者的憂患？

「《易》之興也，其當殷之末世，周之盛德邪？當文王與紂之事邪？是故其辭危」。殷之末世，周之興，是一個戰爭的時代。人民生活動盪不定，所以《易》產生於憂患，故其辭危。周民族產生與興起的時代，也是《詩經》產生的時代，胡適稱之爲「詩人時代」。時代特徵是憂患多於安樂。《周易》記載有關於周初的開國艱難，軍事、政治、生產情況的資料。而周代採詩制度，所採之詩，見於《詩經》者，一方面歌唱人民的勞動、愛情；另一方面却是訴說人民所遭受的饑餓、徭役、戰爭以及天災、人禍、和婦女卑屈的種種不幸。

老子說：「人之大患，在我有身」。莊子說：「大塊載我以形，勞我以生」。蘇淵雷《易學會通》論及憂患：「聖人知生生之無已，明憂患之無窮，故作易以通變，終未濟以求濟，庶仁智各有所得，能通天下之志焉」。章太炎說：「其所憂患則在羣龍無首、生生不已，生道濟生而生終不可濟，飲食興訟，旋復無窮」。又說：「羣動而生，旁溢無節，萬物不足供其宰割，壤地不足容其膚寸，雖成既濟，其終猶弗濟」。憂患之義若此。太炎眞先生論《易》之憂患，更具時代見地，若胡三省之註《通鑑》。

司馬遷《報任少卿書》和《史記・自序》，歷數古來的大著作，以《周易》打頭，《詩》三百篇收梢，總結說：「大抵聖賢發憤之所爲作也」，還補充一句：「此人皆意有所鬱結」。人生所遭不幸，或爲天下憂，而反遭誣害，或憂於國家、民族之興亡，而憤之爲文。憂患表現爲憂憤。

作爲一個民族的憂患，表現爲民族危機感。「履霜，堅冰至」。即是一種危機感。短短五個字，言簡意賅。《周易》是革命哲學。危機感或憂患，是民族生存與發展的機制。《周易》最富於魅力、並引起世人贊歎的，不僅在於它的古老、在古老中蘊藏着適合於各個時代的文明，還在於它在憂患中表現出生之力。「天行健，君子以自強不息」。是又一種憂患意識。

第八章 《周易參同契》簡介

第一節 丹書及《周易參同契》

在中國文化發展的長河中，近年來對《周易參同契》的研究，是古老的領域，又是嶄新的領域。此研究像衝擊波，使一些鮮爲人知的道家典籍重現於世，重新估計其學術價值與科學價值。

《周易參同契》是道家煉內丹之著作。因其使用了一套《周易》卦符，所以稱作《周易參同契》，其內容與《周易》無關。以卦符構成的數學體系，或稱爲《周易》數學。其在《周易參同契》中，不僅限於應用，而是在應用中是一種體系的形成。但現代人對其理解，也還是「隔」，限於泛泛而談，不克深論。

錢學森提出「唯象科學」。甚麼叫唯象科學？就是知其然，不知其所以然。一旦《周易參同契》從整個現代科學體系的理論知其所以然，就上升到現代科學了。

《周易參同契》與其他內丹書一樣，將人體看作一個小宇宙，有時空觀念，有變化觀念，有「場」觀念。其時間參照系很特殊，即不是順流之波，而可以順逆倒轉。即方士所說：「順爲人，逆爲仙」。我國之金丹術，可溯源至戰國時代燕、齊方士之神仙傳說與求仙仙藥。至前漢始有金丹術。東晉葛洪《抱朴子》有《金丹篇》，但未釋金丹之義。陳國符《道藏源流考》說：

丹即丹砂，即紅色之硫化汞。金丹者，丹砂而可製黃金（藥金）者。金丹作法，須用飛鍊。所謂飛者，即簡單之昇華；或數物加熱至高溫，同時所得產物，即行昇華也。此種黃金，爲黃色物，自漢至晉認爲與眞黃金相同。至唐初，稱此種黃金爲藥金，並知識別藥金與眞黃金之法。

收於《道藏》的《眞元妙道要略》書中，有道士煉金丹遭到慘重教訓的記載。道士們燒煉長生不老之藥（金丹），他們把硝鹽、木炭、硫磺、砒霜等物，放在一起燒煉時，所得的結果是發生了爆炸，爐壞人亡。爲了引以爲戒，這個配方如實地紀錄下來。但從另一角度看，在古代中國史和世界史上却是一項重要發明。意外地給化學史留下了珍貴的資料。

「氣能存生，內丹也；藥能固形，外丹也」。《周易參同契》是內丹書，是闡述人體「能量流」的書，是關於生命科學的著作。

《四庫全書總目》子部道家類所錄《周易參同契》書目有：

㈠《周易參同契通眞義》三卷，後蜀彭曉撰。「其分九十章，以應陽九之數。又以鼎器歌一篇，字句零碎，難以分章，獨存於後，以應水一之數。又撰明鏡圖訣一篇，附下卷之末。曉自作前後序。

闡發其義甚詳。諸家註參同契者，以此本爲最古。至明嘉靖中，楊愼稱南方有發地中石函者，得古本參同契，以爲伯陽眞本。……朱子作參同契考異，其章次並從此本」。

㈡《周易參同契考異》一卷，宋朱熹撰。

㈢《周易參同契解》三卷，宋陳顯微撰。「以其詮釋詳明，在參同契諸註之中，猶爲善本」。

㈣《周易參同契發揮》三卷，《釋疑》一卷。宋俞琬撰。「是書以一身之水火陰陽發揮丹道。雖不及彭曉、陳顯微、陳致虛三註爲道家專門之學，然取材甚博。其釋疑三篇，考核異同較朱子本尤詳備」。

㈤《周易參同契分章註》三卷，元陳致虛撰。「其說以金丹之道，當以陰符道德爲祖，金碧參同次之。又稱丹書多不可信，得眞訣者，要必以參同契悟眞篇爲主」。

㈥《古文參同契集解》三卷，明蔣一彪撰。「魏伯陽作參同契原本三篇，自彭曉分章作解，後來注家，雖遞有併析，而上中下篇之次序，俱仍舊目。至明楊愼始別出一本，稱南方掘地得石函，中有古文參同契上中下三篇、敍一篇，徐景休箋注亦三篇、後序一篇，淳于叔通補遺三相類上下二篇、後序一篇，合爲十一篇。自謂得見朱子所未見。一彪此註，即據愼本而作，故謂之古文」。

很繁瑣的摘錄如上。古今載籍，浩如煙海，處則充棟宇，出則汗牛馬。即以《參同契》一書，註家各異、版本不同，必滙校考證、然後得出眞知灼見。王重民撰《中國善本書提要》所載《古文參同契集解二卷》，此書藏美國國會圖書館。王重民說：

原題：「東漢會稽眞人魏伯陽著，明餘姚復陽子蔣一彪輯，海虞篤素居士毛晉訂。」按此本分上下卷，每卷又分上中下，實爲六卷。《四庫全書》著錄本作三卷者，所據應別是一本。

由此可知《四庫全書總目》與其他目錄所載有相異處，非《參同契》全貌。學者不得不辨。而「辨章學術，考鏡源流」，即是考證學術傳刻版本的異同，辨明學術發展的源流，是研究學問必要的途徑。

其二，《參同契》難讀之點，是其語言的特殊性。《參同契》又是生理煉丹學，是利用人體固有的各種液體、器官、意念或思維活動，丹家概括爲精、氣、神三寶，來煉就長生不老之「丹」。然而其語言的象徵性、模糊性、講究意境，給研究者帶來困難。「《詩》無達詁」，「詩無達詁」，《參同契》也無達詁——起碼目前情況如此。

錄《周易參同契考異》（四庫全書原本、守山閣叢書，宋朱熹撰）中之一些實詞爲例：

「胡粉投火中，色壞還爲鉛」。「金以砂爲主，稟和於水銀」。「擣治羌石膽，雲母及礜磁，硫黃燒豫章，泥汞相煉治，鼓下五石銅，以之爲輔樞，雜性不同種，安肯合體居」。「臨爐定銖兩，五分水有餘，二者以爲眞，金重如體初」。「丹砂木精，得金乃并，金水合處，木火爲侶，四者混沌，列爲龍虎，龍陽數奇，虎陰數偶」。「白虎倡導前兮，蒼液和於後」。「白虎在昂七兮，秋芒兌西酉；朱雀在張二兮，正陽離南午」……。

以外丹術語，以及龍、虎、朱雀等說明體內煉丹過程。

內丹書一些註釋，可以研讀，然而仍限於註者見解。這不足爲怪。因爲《參同契》以及其它內丹書本身也還是實踐記錄，而少於學理。

不容忽視的是《參同契》對中國傳統科學的深遠影響。現在它又逼使人們用另一種觀念與方法去研究《老子》、《莊子》、去研究《道藏》，去研究《周易》卦符系統。《參同契》對生命現象記錄的眞實與準確，不能不使世人贊歎！這將啓示人們去研究失去的中國古代文明。丹書及《參同契》提出的精神或意念作用，將打開過去不敢論及的禁區。

第二節　精、氣、神一家言

精、氣、神，內丹書稱之爲三寶。然而各丹書闡述其義各有側重。王聘三說：「丹經之古者，《參同契》而外，其《黃庭》乎？人人讀《黃庭》，視《黃庭》與《參同契》不相符者，此不足以讀《黃庭》也，道無不一貫也。視《黃庭》與《參同契》即一事者，亦不足以讀《黃庭》也，立言有專屬也」。而以現代學術觀念研究者，提出「氣」是什麼？「意念」是什麼？「生命信息」又是什麼？是精神，還是物質？是正在探索的題目。李洲《物質零態存在·零環運動》：

一維的數軸、二維的平面、三維的空間、多維的抽象空間，都是不同「相」的空間，總稱爲「〇」態空間。空間是依賴於時間的記錄才體現出它的存在；時間也只有在特定的空間中才表現出它的終始運動。所以，我們描述「○」態空間時，一定要把時間聯繫在一起，給定一個具體事物時空態，稱爲該事物的「時空相」。這裏指的「時空相」，包括難以捉摸的、難以稱量的各種場及精神領域在內。……誰都不能否認精神具有時空相，所以精神也是「○」態物。

這裏將精神、場、一般物質統一在「時空相」這一概念。精、氣、神，有精神概念、有場的概念、有一般物質概念。對其研究，必須探索新的理論體系。

這裏不想涉及有關精、氣、神更多的看法。筆者偶然讀到一本書：任法融《太上老君作十四字養生訣釋義》。任法融說：

古樓觀說經台有標明「太上老君作」的一幅石刻楹聯：

𨉖　𨈬　烎　桎　念　犡　檃

𨁈　僔　悳　䂐　浡　儁　𡎘

由十四個冷僻字組成的這麼一幅儼若天書的聯語，曾使多少游人望之愕然，深以不得其解爲憾。

又說：

根據道士相傳上聯讀作「五爐燒煉延年藥」，下聯讀作「正道行修益壽丹」。以太上老君署名，顯然是道家之物。或可稱爲最簡丹書，因其僅有十四字。或可稱爲一家言，因十四字即自成體系。它的特色是古老質樸，且最富趣味。我喻之爲道家朦朧詩。對象的複雜性與模糊性有難解之緣，道家創造這十四個字，本身就是模糊的。我理解朦朧詩的特點之一，是一些觀念、一些哲理、一些意念、一些情趣、一些意境、一些美學價値，由作者與讀者共同去完成。就此意義講，對此十四字，後世讀者無須破譯，各自有各自的體會，層次有深淺之別罷了。

如「牘」，「⿰舟冊」二字，人身具精、氣、神三寶；人身是丹爐，較爲明顯。

「⿱皛水」，自家水也，理解爲元精。讀此字，丹家可有如下聯想：

神（意念）清 → 使元精清 → 元精

腎之元氣 → 產生 → 元精

神（意念）濁 → 使元精濁 → 元精

「⿰歹萬」，任法融引宋玉《高唐賦》、《莊子·在宥》、《宋書·樂志三》，說明「此字由千、萬組成，隱含依法修煉，能達到長壽無極的意思」。這是一種見地。

但讀《參同契》，我們又有另一種聯想。《周易參同契考異》本文：「君子居其室，出其言善，則千里之外應之，謂萬乘之主，處九重之室，發號出令，順陰陽節，藏四俟時，勿違卦日」。初讀似在讀歷史書，而非丹書。「萬乘之主」，君也。「發號出令」，君令也。但讀後文「孝子用心，感動皇極」一句，「孝子」是指火候中震、坎、兌、巽、離、艮六卦。「孝子用心」，即使此六卦嚴格地按照一定的順序、一定的規律來進行，使火候的進退不出差錯。在「孝子用心」的前一句是「蝗蟲湧沸，山崩地裂，天見其怪，羣異旁出」。或是丹家煉丹過程的生理、心理狀態，或是發外氣的某種形容。

那麼，「萬乘之主」是丹家自喻，「千里之外應之」可以理解爲丹家之「虛」。

「⿰犭萬」即是：丹家之「虛」，意指煉虛入道之境界。

「愈」，元氣爲性命之本，心藏神，所以此字代表「元氣」和「元神」。任法融引《丹經》中「只知修性不知命，這是修行第一病」句，釋爲「它含有延長壽命的意思，道家認爲只有性（心）命雙修，才能延年益壽」。也是一種見解。

那麼　愈＝元氣、元神

膝＝元精

⿰犭萬＝煉虛入道

三者聯繫在一起，是丹家煉丹的全過程。試以圖釋之：

(一)三寶分論

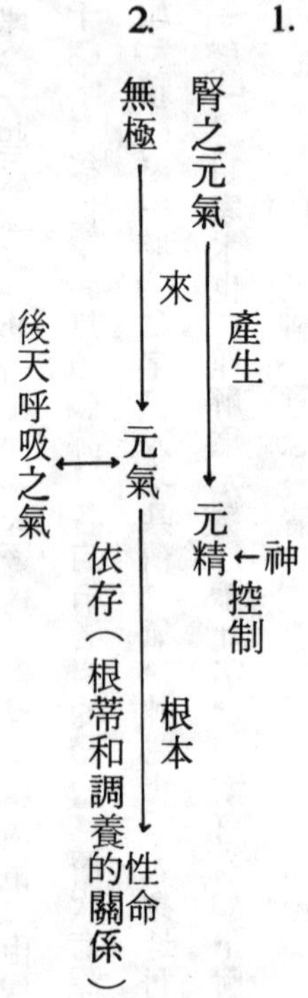

3.先天精、氣、神的作用及後天精、氣、神的反作用。

三寶之中只有氣，先後天並用。精與神則專用後天。

一般情況（順行）

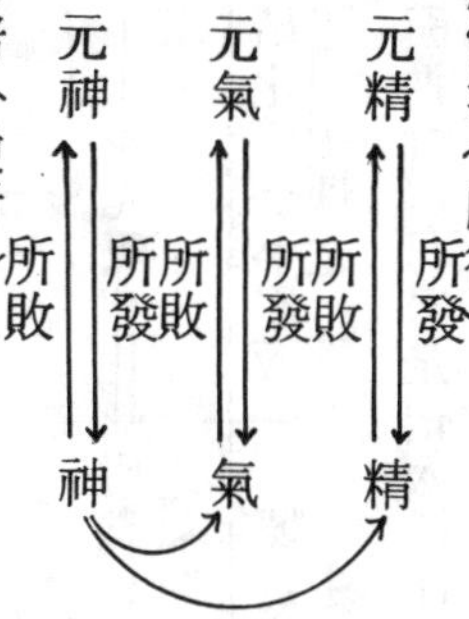

煉丹者（逆行）

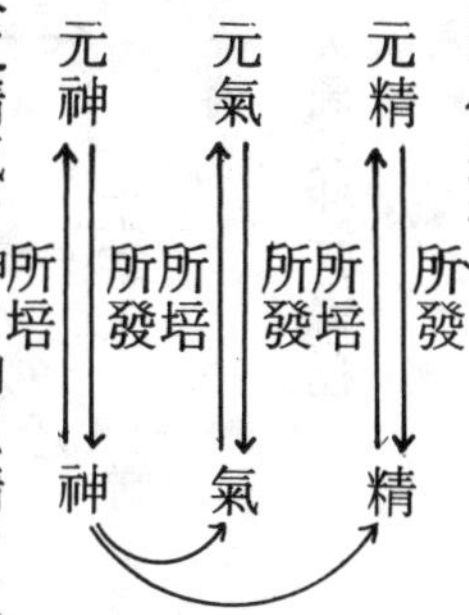

後天之精氣、神，即以精、氣、神名之；

先天之精、氣、神，以元精、元氣、元神名之。

4.構造系統

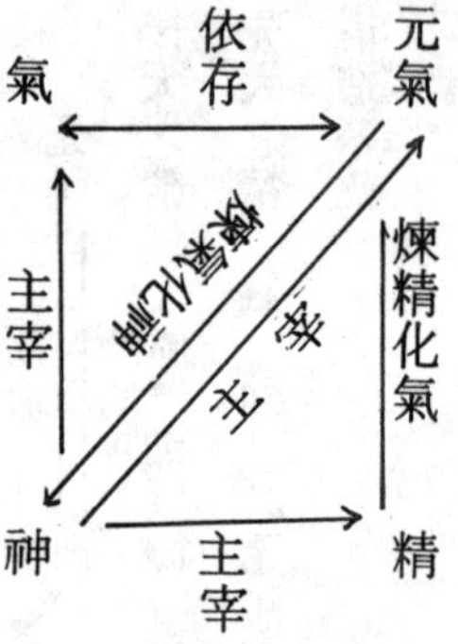

(二)三寶合論

1. 小、大周天煉丹過程

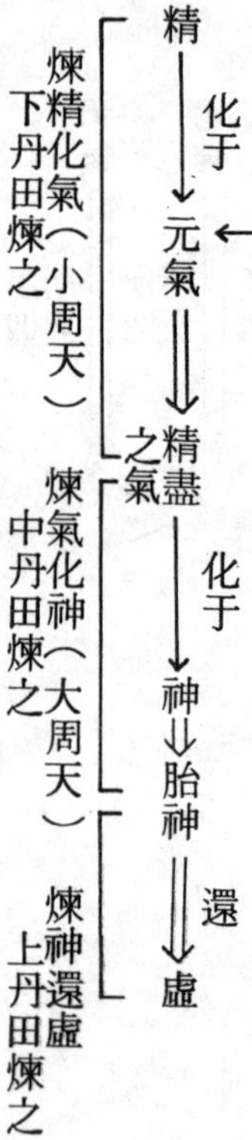

2. 順行與逆行。丹家是把人體作爲考察研究對象。研究生命的奧秘、生命的機能、生命的新陳代謝過程。假如把生命的開始，自然而然的生存，以至於消亡，稱做「順行」的話，那麼丹家是逆其向而行之，以控制其消亡過程，且使生理機制發生質的改變，達到高度有序化，和功能協調，或稱爲「逆行」。

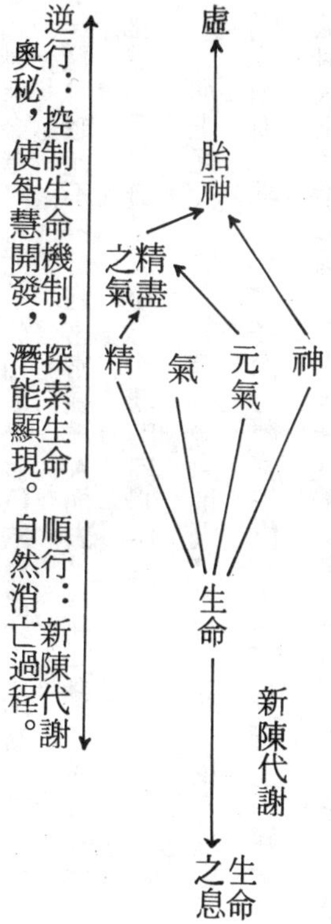

當然對每字的釋義不是唯一的，即不拘一義。一種信息傳給你的大腦，隨你自身的修養給予信息反饋，達到諧調一致，也許才能理解字的眞諦。如「千」，又可如下釋之：

北宋張伯端《五清金笥青華秘文金室內煉丹訣》提出「心爲君論」。丹經以煉神爲主，神藏於心，故心是最根本的。「萬」即「萬乘之君」爲心；「千」是「大千世界」，可引伸爲「宇宙統一場」。煉丹者以煉「心」始，以進入「宇宙統一場」終，即「⿰千萬」之義。《易·繫辭》：「一陰一陽謂之道」。道是自然規律，也可理解爲宇宙統一場。《周易》中「太極」的提出，實是「場論」，不過這一概念用的名詞不同而已。進入宇宙統一場，即「煉虛入道」。進入這一境界，人的生理、心理、生命現象、思想意識如何變化，只有深於丹道者，說得清楚。

其他字如「⿰氵彝」、「⿰亻萬」、「⿱丆火」、「榁」，很明顯屬於煉丹細節，這裏就不討論了。

第三節　藥物・火候

丹經中以火比喩元神，那麼火就是煉丹的意念作用。用意念來掌握呼吸，運煉精氣，即是火候。清劉一明《悟眞直指》說：「金丹全賴火候修持而成。火者，修持之功力；候者，修持之次序。採藥須知遲早，煉藥須知時節。有文烹之火候，有武煉之火候，有下手之火候，有止歇之火候，有進陽之火候，有退陰之火候，有還丹之火候，有大丹之火候，有增減之火候，有溫養之火候。火候居多，須要徹悟，知始知終，方能成功」。這裏給火候一個簡明的定義：火候是修持的功力和次序。火候是對藥物而言。何謂藥物？

藥物即指精、氣、神。《玉皇心印妙經》說：「上藥三品，神與氣精，恍恍惚惚，杳杳冥冥」。《參同契》說：「太陽流珠，常欲去人，卒得金華，轉而相固，化爲白液，凝而至堅」。太陽流珠，即元神。金華，即元精。白液，金色的液體。朱山海語譯：「人心中的元神，它像太陽中流出來的珠子一樣，飛走不停，它常常要離人而去，突然碰到了從腎間逆流上來的元精，自然轉回與其相互爲因，溶化爲金液，凝結成堅固不壞的內丹」。

「河上姹女，靈而最神。得火則飛，不見埃塵。鬼隱龍匿，莫知所存。將欲制之，黃芽爲根」。

朱山海語譯：「處在南方離宮午位——三河分野上的姹女（元神）是最靈敏、最神妙的藥物。它一遇到火焰（指七情六欲之火）就要飛散，而且見不到它的灰塵。它像陰鬼一樣隱秘，又如神龍一樣藏匿，不知道它處在哪裏（即人的心神活動，不可捉摸）？如果要制伏它，就得用靜極而動、在坎宮子位中產生的黃芽（元精）作爲根本」。

《參同契》以極其豐富、形象的語言，記錄了難以捉摸的意念運行、精氣合會、火候節制。科學方法主要是分析性的，把對象抽象爲一些概念，而進行推理或計算，像現在我們所使用的物理的或數學的方法。目的是給表面一團混亂的現象帶來秩序和簡單性。但這只能得到對象實在性的不同方面，而不能得到實在自身。所以《參同契》作者爲了表述實在自身，不得用分析的方法，而是以形象思維，從不同方面、不同角度、不同體驗，讓讀者去體味實在自身。

過去的哲學家認爲物質在實質上是佔有空間的東西，但《參同契》中的藥物包括意念即神，不佔有空間。所以應打破傳統的觀點，去研究《參同契》。意念只具有「時空相」，表現爲四維空間中的一串「事件」。這些事件是以某種方式存在，如海中的一波，或一樂音。它不是我們所熟知的空間中的波，而是用我們意識難以領悟、難以描繪的時空相中之波，或概率圖式中之波。當我們的眼光，從一種生命現象（煉丹）轉移到物理科學的時後，人們所稱道的科學定律，便顯得蒼白無力。需要建立人體科學體系。

如上引「太陽流珠」，所表現的是波，或能量流。《參同契》認爲生命過程，是可以調節的，調節機制是火候。火候表現爲一種「場」，像磁場、電場、電磁場、萬有引力的場一樣，這是一種特殊的場，或稱之爲人體場。人體能量流和人體場構成《參同契》時空相。

俞琰註《參同契》說：「修丹者，法天象地，則身中自有一壺天也」。《參同契》把人體比作一個小型宇宙。人體場以十二辟卦的消長，十二律的相生，以月相圓缺、五行、方位而描述之。《參同契》：

始乎東北，箕斗之鄉，旋而右轉，樞輪吐萌，潛潭見象，發散精光，畢昂之上，☳（震）出爲徵，陽炁造端，初九潛龍。

箕斗但言東北，畢昂但言正西。以星所在位置，言地理之方向，又以地理之方向，以喻人體能量流及場的方向。人體能量流及場是矢量僅以天象或地理方位符號表示之，但非天象或地理方位。

朔旦爲䷗（復），陽氣始通，出入無疾，立表微剛，黃鍾見子，兆乃滋彰，播施柔暖，黎烝得常。

《論語》皇侃疏：「月旦爲朔」，即夏曆每月初一爲朔，或稱朔旦。這時月球和太陽的黃經相等，月球運行到地球和太陽之間，和太陽同時出沒，呈現新月的月相。《參同契》以月亮的晦朔弦望和早晚出現方位，象徵周天火候，即人體能量流，人體場。

䷗（復）者，十二辟卦之一。六十四卦中有十二卦叫作消息卦，即辟卦。辟者，君也，言此十二卦總統餘卦。十二卦中有息卦六，叫作太陽，即復、臨、泰、大壯、夬、乾；消卦六，叫作太陰，即姤、遯、否、觀、剝、坤。顧炎武說：「三代以上，人人皆知天文」。「後人文人學士，有問之而茫然不知者矣」（《日知錄》卷三十，天文條）。這是歷史使然，因爲生活對於天文知識的需要性，越來越小了，或者說人類對於自然的駕馭力越來越強了。周代却是以十二辟卦記載，總結天體運行，以及春夏秋冬四季氣象變化情況。十二辟卦，代表一年十二月，也喻一日十二時辰。凡卦之六爻，五陰一陽，以陽爲主；五陽一陰，以陰爲主。即以少爲多之主。程序由下而上。《參同契》借助十二辟卦，說明周天火候，即人體場的時空變化概念。下面列出十二辟卦：

䷗（復）五陰一陽，陰氣已極，陽氣復生。一日之中指夜半子時，一年之中對應十一月。進一陽火候。

䷒（臨）四陰二陽，陽氣漸進。丑時進二陽火候。應十二月。

䷊（泰）三陰三陽，陰陽相承。寅時進三陽火候。應正月。

䷡（大壯）二陰四陽，陽氣雖盛，猶含陰氣。卯時進四陽火候。應二月。

䷪（夬）一陰五陽，辰時進五陽火候。應三月。

䷀（乾）純陽，巳時進六陽火候。應四月。

䷫（姤）五陽一陰，陽極生陰，以陰爲主。午時退陰符候。應五月。

䷠（遯）四陽二陰，陰氣漸盛，陽氣漸衰。未時退二陰符候。應六月。

䷋（否）三陽三陰，陰陽二氣不相通。申時退三陰符候。應七月。

䷓（觀）二陽四陰，陰氣已盛。酉時退四陰符候。應八月

䷖（剝）一陽五陰，陰盛陽衰，純陰將至。戌時退五陰符候。應九月。

䷁（坤）純陰。亥時退六陰符候。應十月。

又䷒臨爐施條，開路正光，光耀寖進，日以益長，丑之大呂（音律名），結正低昂。

仰以成䷊泰，剛柔並隆，陰陽交接，小往大來，輻輳（即太族，音律名）于寅，運而趨時。

漸歷䷡大壯、俠列（即夾鐘，音律名）卯門，榆莢墮落，還歸本根，刑德相負，晝夜始分。

䷪夬陰以退，陽升而前，洗濯（即姑洗，音律名）羽翮，振索宿塵。

䷀乾健盛明，廣被四鄰，陽終于巳，中（即仲呂，音律名）而相干。

䷫姤始紀緒，履霜最先，井底寒泉，午爲蕤賓（音律名），賓服于陰，陰爲主人。

䷠遯去世位，收斂其精，懷德俟時，栖遲昧冥（即林鐘，音律名）。

䷋否閉不通，萌者（即夷則，音律名）不生，陰伸陽屈，沒汨姓名。

䷓觀其權量，察仲秋情，任蓄（即南呂，音律名）微稚，老枯復榮，薺麥芽蘖，因冒以生。

䷖剝爛支體，消滅其形，化炁既竭，亡失（既無射，音律名）至神。

道窮則反，歸乎䷁神元，恒順地理，承天布宣，元遠幽眇，隔閡相連，應度育種（應……種，即應鐘，音律名）陰陽之原，寥廓恍惚，莫知其端，先迷失軌，後爲主君。

無平不陂，道之自然，變易更盛，消息相因，終坤始復，如循連環，帝王承御，千秋常存。

《呂氏春秋．季夏紀第六．音律》：「黃鐘生林鐘，林鐘生太族，太族生南呂，南呂生姑洗，姑洗生應鐘，應鐘生蕤賓，蕤賓生大呂，大呂生夷則，夷則生夾鐘，夾鐘生無射，無射生仲呂。三分所生，益之一分以上生；三分所生，去其一分以下生。黃鐘、大呂、太族。夾鐘、姑洗、仲呂、蕤賓、爲上；林鐘、夷則、南呂、無射、應鐘爲下」。

三分所生，即「三分損益法」，是音律相生的方法。把已知的作爲基準的音律數(即律管的長度)分爲三等分，每分爲$\frac{1}{3}$。益之一分，即$1+\frac{1}{3}=\frac{4}{3}$，產生新的音律，稱爲上生；去其一分，即$1-\frac{1}{3}=\frac{2}{3}$，產生新的音律，稱爲下生。晚周的尺度，一尺長約二十三厘米。黃鐘管長九寸，去其一分，得六寸，是林鐘的管長尺寸，即「黃鐘下生林鐘」。林鐘管長六寸，益之一分，得八寸，就是太族管長尺寸，即「林鐘上生太族」。

這是一種律算，與紀元前六世紀希臘哲學家畢達哥拉斯的律算法相彷。人類的某種認識相通。或宇宙的某種規律相通。《參同契》作者以此揭示人體生命的場，是偶然？還是必然？值得玩味。楊蔭瀏《中國音樂史綱・上古期的樂律——十二律》中，繪製一張圖，錄之如下：

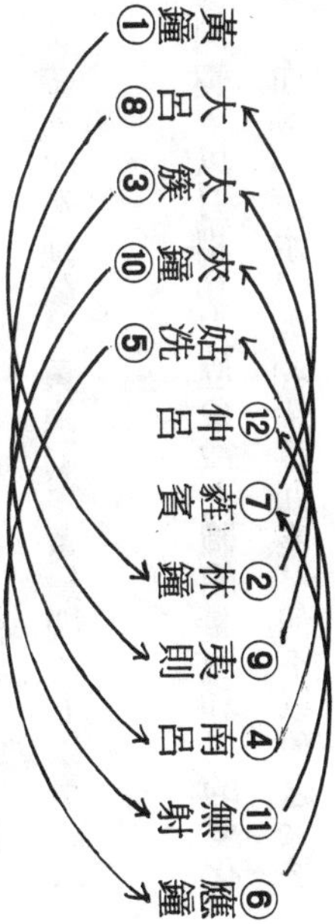

以十二律象徵周天火候，即人體場。這是大的區劃。而每律配七調，如黃鐘有：黃鐘宮、黃鐘商、黃鐘角、黃鐘變、黃鐘徵、黃鐘羽、黃鐘閏。十二律計八十四調，以此象徵場的變化或時域是很細密的。

《參同契》以月相和方位象徵人體能量流和場的變化，故方士說：「有人問我修行事，遙指天邊月一輪」。而高山流水，如聆樂章九奏，何不以象之火候。再者，歷來註《參同契》，多着重於陰陽、五行、十二辟卦之說，少言律事，故下述以音律設喻。繪製圖如下：

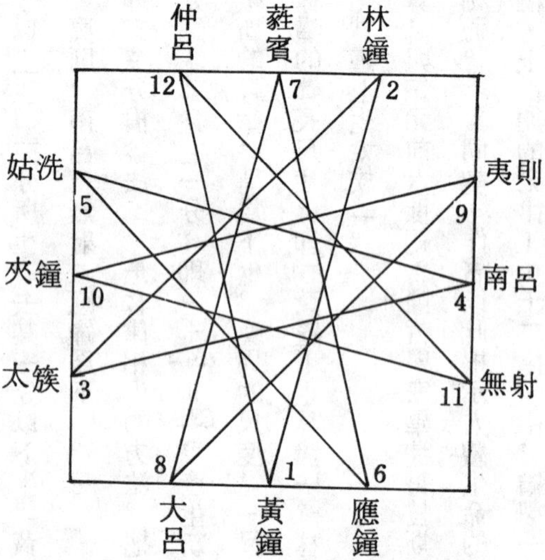

其中，音律及數字符號是頂點，頂點之間的連線是路徑。以圖論方法，可以象徵各種關係。如構造信息符號序列：

（1、2）、（2、3）、（3、4）、（4、5）、（5、6）、（6、7）、（7、8）、（8、9）、（9、10）、（10、11）、（11、12）、（12、1）……(1)

前一數稱生數，後一數稱成數。這象徵人體場的某種變化。

也可產生某種跳變，如構造序列：

（1、6）、（6、7）、（7、2）、（2、9）、（9、10）、（10、11）、（11、8）、（8、6）、（6、1）……(2)

對換可以表示爲輪換，(1)式之輪換是：

（1、2、3、4、5、6、7、8、9、10、11、12）……(3)

(2)式之輪換是：

（6、7、2、9、10、11、8）（1、6）……(4)

數字也可表示十二辟卦的進陽火候：

（1、8）、（8、3）、（3、10）、（10、5）、（5、12）……(5)

和退陰符號：

（7、2）、（2、9）、（9、4）、（4、11）、（11、6）……(6)

以上對人體場的表示，只是「取象之說」。可以借助於圖論、羣論、組合數學構造人體場的數學模型，探索人體能量流和場的關係，且將意念和一般物質統一在場論中。取象之說是抽象的第一步，因爲這裏還有量的測量和質的規定性。

《參同契》象徵人體能量流和場，又採用納甲之說：「納甲」是漢代《易》學術語，將八卦與天干、五行、方位相配合：

甲乾乙坤，相得合木，故甲乙在東。
丙艮丁兌，相得合火，故丙丁在南。
戊坎己離，相得合土，效戊己居中。
庚震辛巽，相得合金，故庚辛在西。
天壬地癸，相得合水，故壬癸在北。

天干爲十個符號；八卦爲八個符號，又外加天地，也構成十個符號，而成映射關係：

甲→乾→木→東
乙→坤→
丙→艮→火→南
丁→兌→
戊→坎→土→中央

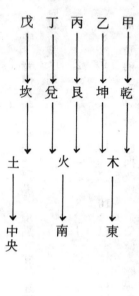

巳 → 離 →
庚 → 震 → 金 → 西
辛 → 巽 →
壬 → 天 → 水 → 北
癸 → 地 →

依此映射關係構造納甲圖：

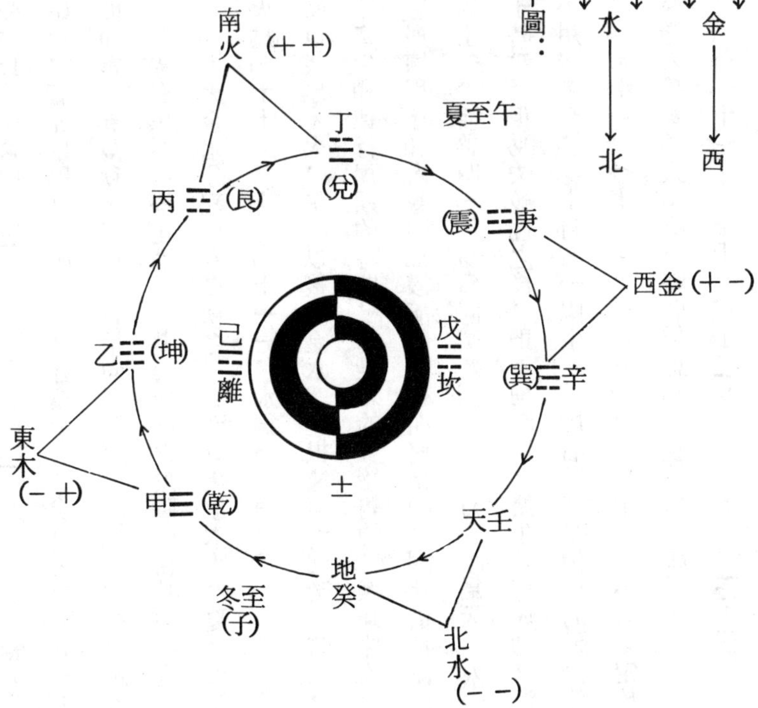

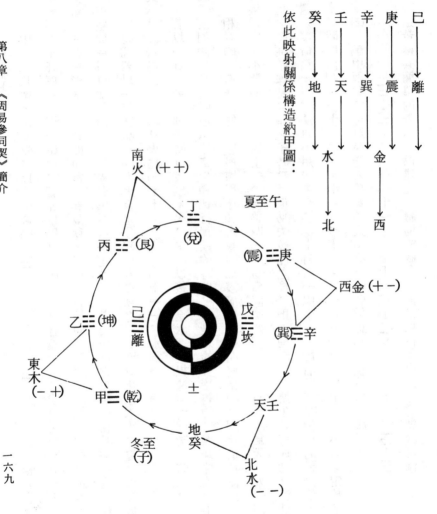

其中，㈠坎離表示藥物，以陰中含陽（☵）、陽中含陰（☲）之義合成人體能量流矢量。《參同契》：「土旺四季，羅絡始終，青赤白黑，各居一方，皆禀中宮，戊己之功」。「土」（人體能量流矢量）的存在形式：以時間而言，春夏秋冬；以矢量指向言，東南西北（象徵三維空間，或人體小型宇宙空間）；以顏色而言，青赤白黑；以變化而言，基於戊己之陰陽內在功力及場之作用。

㈡時間若以一年爲喩，即木火金水分配於春夏秋冬。冬至以後屬木火，夏至以後屬金水。以符號表示，設木爲「一十」，火爲「十十」，金爲「十一」，水爲「一一」。

若以一日爲喩，則子時以後屬木火，午時以後屬金水。「根據《參同契》體系，方家有活子時之說。他們體驗到人體能量流產生和運行周期的時間，不是死的、絕對的、無條件的、不變的；而是活的、相對的、有條件的，隨鍛煉程序和人身內部機能的變化而變化的，因此這是任何外在的普通的計時儀器所測不準的」。（周士一、潘啓明《周易參同契新探》）。丹家認爲天、人一體，強調於一陽初生之時開始煉功，謂之子時功。但功夫較高之後，則不拘時辰，藥生即可煉功，這就謂之活子時。《還丹復命篇》：「煉丹不用尋冬至，身中自有一陽生」，即活子時是指小周天丹法中起火的時機。那麼，時間序列（一十）、（十十）、（十一）、（一一）、（一十），不必固定於某一時刻。

㈢以納甲取象，可以構造人體場。人體場有時間信息和矢量信息。如：

∧（一十）☰↓☷∨，∧（一十）↓（十十）☶↓☶∨，∧（十十）☶↓☱∨……等等。

這是極其簡單的表示，以建立人體場的概念。但信息極其複雜，需專書論述。

此外，《參同契》建立場的概念，又繪有「月體納甲圖」，以月象象徵火候，即人體場。月象除是一種符號意義外，月亮的引力如對海洋產生潮汐那樣，對人體場產生影響。此外，又有「太極圖」，是將人體場由離散值變爲連續值的一種數學取象表示。